고요하지 않은 밤

발 행 | 2024년 01월 24일
저 자 | 한충수
펴낸이 | 한건희
펴낸곳 | 주식회사 부크크
출판사등록 | 2014.07.15(제2014-16호)
주 소 | 서울특별시 금천구 가산디지털1로 119 SK트윈타워 A동 305호
전 화 | 1670-8316
이메일 | info@bookk.co.kr

ISBN | 979-11-410-6857-8

www.bookk.co.kr

고요하지
않은
밤

한충수

차 례

천사

5 BC, 갈릴리 나사렛

"나는 천사장 가브리엘이다"

심장이 터질 것처럼 뛰기 시작했다. 혹시 지금 꿈을 꾸고 있는 건가? 허벅지를 꼬집어 봤지만 찌르는 듯한 아픔만 신경을 파고들었다. 이건 꿈이 아니고 현실이다. 진짜 천사가 나에게 나타났다.

쿵쾅거리는 가슴을 부여잡고 천사를 멍하니 쳐다보다가 아직 누워있는 것을 깨닫고 일어나 그 앞에 무릎을 꿇었다. 천사는 순백의 긴 세마포 옷에 금빛 허리띠를 하고 있었다. 그에게서 나는 광채 때문에 눈이 부셔 얼굴은 자세히 볼 수 없었다.

"은혜를 받은 처녀여, 기뻐하여라. 주님께서 너와 함께 계신다."

그는 느릿느릿 한 단어씩 힘주며 말했다. 내가 놀라 아무 말도 못하고 있자 천사가 이어서 말했다.

"마리아야, 무서워하지 말아라. 너는 하나님의 은혜를 받았다. 이제 네가 임신하여 아들을 낳을 것이다. 그리고 그 아이의 이름을 예수라고 불러라. 그는 위대한 인물이 될 것이며 가장 높으신 하나님의 아들이라고 불릴 것이다."

"하나님의 아들이라고요?"

가브리엘 천사가 머리를 끄덕이며 확인해 주었다. 온몸이 사시나무처럼 떨리기 시작하며 가슴이 죄어왔다. 하나님의 이름을 부르는 것조차 불경스러운 것으로 여겨지는데, 내가 낳을 아들이 하나님의 아들이라 불릴 것이라니! 천사는 거침없이 놀라운 말을 계속했다.

"주 하나님께서 그의 조상 다윗의 보좌를 그에게 주실 것이니 그가 영원히 야곱의 집을 다스릴 것이며 그의 나라는 끝없이 계속될 것이다."

다윗의 보좌를 이을 메시아가 오실 것이라는 이야기는 회당에서 들어서 알고 있다. 내가 낳을 아들이 메시아가 된다는 말인가? 이건 분명히 꿈일 것이다. 다시 한번 허벅지를 꼬집었다. 조금 전보다 더 날카로운 고통이 몰려왔다. 아마 같은 곳을 꼬집었나 보다.

머릿속으로 밀고 들어온 말들의 의미를 알 수 없어 혼란스럽고 현기증이 느껴졌다. 약혼자인 요셉이 다윗왕의 후손이라는 것은 알고 있다. 그러나 단 한 번도 요셉과 함께 낳을 아들이 메시아가 된다는 것은 상상조차 해 본 적이 없었다. 우리는 가난한 촌 동네인 나사렛에 사는 평범한 목수이고 시골 처녀일 뿐이다. 우리 같은 미천한 사람들로부터 메시아가 태어난다는 것은 말도 안 된다.

"요셉과 결혼해서 낳을 아기가 메시아가 될 것이라는 말입니까?"

떨리는 가슴을 부여잡고 혹시 말도 안 되는 소리를 해서 천사에게 꾸지람을 듣지 않을까 걱정하며 조심스럽게 물었다.

"하나님의 아들이라 불릴 아기는 너와 요셉 사이에서 낳을 아기가 아니다."

말도 안 된다. 요셉과의 사이에서 낳을 아기가 아니라니! 그럼 요셉과의 약혼을 파기하고 다른 다윗의 후손과 결혼하라는 명령인가? 파혼은 있을 수 없는 일이다. 어떻게 든 요셉과의 사이에서 낳는 아기여야 한다.

"요셉과 사이에서 낳을 아기가 아니라면 저는 남자를 알지 못하는 처녀인데 어떻게 아들을 낳을 수 있습니까?"

순결한 처녀로서 다른 남자의 아기를 가질 수 없다는 것을 강조하며 물었다.

"하나님의 능력이 너를 덮을 것이고 네가 낳을 아들은 성령을 통해 태어날 것이다."

"성령을 통해 태어난다고요?"

"너는 남자가 아닌 성령을 통해 임신하게 될 것이다."

의미는 정확히 알 수 없지만 적어도 요셉이 아닌 다른 남자의 아기는 아니라서 다행이다. 그러나 요셉의 아기는 아니다.

어떻게 해야 하나? 부모님에게 도움을 요청해 볼까 생각해서 그들이 누워있는 쪽을 돌아봤다. 대낮과 같이 밝은데도 그들은 미동도 없이 깊이 잠들어 있었다. 아버지의 코 고는 소리만이 고요한 집 안을 채우고 있었다.

"네 친척 엘리사벳은 아이를 낳지 못하는 여자로 알려졌으나 그처럼 늙은 나이에도 임신한지 벌써 여섯 달이나 되었다. 하나님에게는 불가능한 일이 아무것도 없다."

엘리사벳, 이름은 들어봤으나 잘 모르는 친척이었다. 아기를 못 낳는 여자가 임신했으니 나도 성령으로 임신할 수 있다는 말인가? 머리는 미로 속에 빠져들어 더 혼란스러웠다.

천사는 더 이상 말이 없었다. 내가 대답하기를 기다리는 것 같았지만 무슨 말을 해야 할지 몰랐다. 성령을 통해 임신한다는 그리고 하나님의 아들을 낳는다는 말을 어떻게 받아들여야 하나? 그러나 하나님께서 천사를 통해 나에게 하시는 말씀이다. 이것이 하나님의 뜻이라면 내 어찌 그 말씀에 순종 안 할 수 있겠는가! 이 모든 것이 거스를 수 없는 운명처럼 느껴졌다. 천천히 깊게 숨을 내쉰 뒤 얼굴을 들고 나지막이 말했다.

"저는 주의 종입니다. 말씀하신 대로 되기를 바랍니다."

말을 마치자마자 가브리엘 천사는 사라졌고 집 안은 다시 어두워졌다.

벽에 있는 화롯불은 한 번씩 날갯짓하며 춤추고 있었다. 한겨울의 거센 바람이 휘 소리를 내며 창문을 두드렸다. 동생 아비가일은 추운지 이불을 끌어당겨 얼굴까지 덮고 있었다. 아래쪽 우리에 있는 양은 언제 깼는지 소리도 없이 나를 물끄러미 쳐다보고 있었다. 양은 천사를 봤을까? 양이 천사와 있었던 모든 일의 증인이 되어 줄 수 있다면 얼마나 좋을까!

다시 누웠지만 날카로운 감각이 잠드는 것을 허락하지 않았다. 가브리엘 천사의 모습이 눈앞에서 지워지지 않고 낙인처럼 남아있었다. 가브리엘 천사가 했던 말을 다시 곱씹어 보았다. 하나님의 아들 그리고 다윗의 보좌라는 말은 오시기로 예언된 메시아를 말하는 것이 틀림없다. 메시아는 로마의 지배로부터 이스라엘을 구하고 다윗의 왕조를 다시 세울 것이다. 그렇다면 내가 낳을 아들이 이스라엘의 왕이 된다는 말인가? 나는 왕의 어머니? 만약 내 아들이 왕이 된다면 이 조그만 집에서의 가난한 삶도 끝나고 화려한 왕궁에서 살게 될 것이다. 크고 멋진 왕궁에서의 삶!

문득 요셉과 결혼하기 전에 아기를 낳을지 모른다는 생각이 미쳤다. 얼마 전 약혼해서 결혼식까지는 아직도 일 년 정도 더 기다려야 하는데. 부모님에게 당장 결혼식 하고 싶다고 말해볼까? 요셉의 집에서는 뭐라고 할까? 약혼하자마자 바로 결혼식 했다는 말은 들어본 적이 없다. 결혼식을 서두르면 마을 사람들이 물어볼 것이다. 천사가 방문해서 전해준 이야기를 하면 사람들은 내 말을 믿을까?

사람들이 내 말을 안 믿으면 나는 그냥 결혼 전에 아기를 낳은 간음한 여자가 되는 것은 아닌가? 간음한 여자는 돌로 쳐 죽여야 한다고 율법에 기록되어 있다는 것에 생각이 미치자 순간 머리카락이 쭈뼛 섰다.

일단 부모님에게 먼저 말해야 할 것이다. 아버지와 어머니는 내 말을 믿을까? 미친년이 헛소리한다고 하지는 않을까? 그러나 가장 큰 문제는 요셉이다. 그는 다윗의 직계 자손이고 또 신실한 사람이니까 가브리엘 천사가 전했다고 하면 믿지 않을까? 만일 그가 내 말을 안 믿으면 파혼당하고 나는 그냥 간음한 여자가 되는 것은 아닌가?

기대와 막연한 불안감이 마음속에서 소용돌이치며 떠올랐다 가라앉기를 반복했다. 온갖 생각들이 꼬인 실타래 같이 엉켜 어디서부터 실마리를 풀어야 할지 알 수 없었다.

숨이 막히고 답답해 일어나 앉았다. 가슴이 거칠게 뛰며 오금이 저리기 시작했다. 안절부절못하다가 일단 일어났다. 시원한 공기가 필요해 조심스럽게 창문 쪽으로 갔다. 창문을 열까 하다가 가족이 추울 것 같아 그만두었다. 집 밖으로 나가야 했다. 겉옷을 걸치고 살금살금 까치발을 하며 문으로 갔다. 양은 자신도 데려가 달라는 듯 문 있는 쪽으로 다가와 나를 쳐다봤다. 양을 뒤로하고 조심스럽게 문을 열고 밖으로 나왔다.

한겨울의 차가운 바람이 얼굴을 세차게 때리며 머리칼을 흩뜨렸다. 그 시원함에 눌렸던 마음이 조금 진정되는 것 같다. 비는 내리지 않았고 보름달이 쏟아내는 달빛 때문에 집 밖이 집 안보다 더 밝았다. 집 앞에 있는 무화과나무가 달빛에 앙상한 그림자를 드리우며 외롭게 바람을 견디고 있었다.

모든 것이 익숙한 모습이다. 집 뒤로 솟구쳐 있는 작은 언덕과 나무들, 집 옆으로 펼쳐져 있는 황량한 들판, 그리고 그곳에 있는 작은 집들. 그 안의 사람들은 모두 어제와 똑같은 모습으로 행복한 꿈을 꾸며 자고 있을 것이다. 그러나 나는…… 어제와 다른 내가 되었다. 느닷없이 낯선 사람의 삶과 뒤바뀐 느낌이다.

한 줄기 바람이 세차게 휘몰아치자 마른 풀 덤불이 춤추듯 이리저리 뒹굴었다. 창문이 흔들리며 삐걱거리는 소리가 났다. 머리가 저절로 움츠러들었다. 집 벽으로 가서 기대어 쪼그리고 앉아 두 무릎을 팔로 감싸 안았다. 그래도 한겨울의 차가운 바람이 옷 속으로 파고들어 겉옷을 얼굴까지 끌어 올렸다. 눈을 감고 가브리엘 천사와 나누었던 이야기를 다시 되새겨 보았다. 낯선 말들이 또다시 튀어나와 가슴을 압박하기 시작했다.

"하나님!"

이 말이 나도 모르게 입 밖으로 튀어나왔다.

'저를 통해 하나님의 아들 메시아를 낳기 원하시면 그 뜻을 받아들이겠습니다. 지금은 두렵고 떨리지만 당신의 뜻을 따르겠습니다. 아브라함과 이삭과 야곱의 하나님, 저를 지켜 주소서!'

마지막 말을 마음속으로 되뇌었지만 무엇으로부터 지켜 주시기를 바라는지 알 수 없었다. 기쁨과 두려움, 희망과 걱정, 서로 다른 감정들이 마음속을 휘감았다.

매서운 바람이 휘몰아쳐 어깨까지 내려간 겉옷을 다시 얼굴까지 끌어 올렸다. 추운 기운이 뼛속까지 스며드는 것 같았다. 하나님의 아들을 건강하게 낳아야 하는데 감기 걸리면 안 되지. 그런데 혹시 아기가 벌써 뱃속에 있는 것은 아닐까? 허리를 뒤로 젖히며 아랫배를 오른손으로 쓰다듬어 보았다. 배가 조금 봉긋 올라온 것 같고 뱃속에서 움직임이 있는 것 같은 느낌은 설마 기분 탓이겠지?

살며시 문을 열고 다시 집 안으로 들어갔다. 가족들은 아직도 조용히 잠들어 있었다. 나올 때 깨어 있던 양도 잠들었는지 기척도 없다. 겉옷을 벗고 자리에 다시 누웠다. 꺼져가는 화롯불에 희미하게 비친 천장을 바라보다가 잠을 재촉하기 위해 눈을 감았다.

분명 어린 양이었다. 양은 왜 혼자 길을 헤매고 있는 것일까? 모습을 자세히 살펴보았다. 작은 체구의 몸은 파리하게 말라 불쌍해 보였다. 마른 몸과는 대조적으로 슬퍼 보이는 큰 눈이 아름답게 반짝이고 있었다. 양을 쓰다듬고 안아주고 싶었다. 양에게 다가가고 싶었지만 알 수 없는 힘에 막혀 다가갈 수 없었다. 양도 나를 쳐다보고 있었지만 다가오지 않았다. 양은 울음소리도 어떤 소리도 내지 않고 나를 슬픈 눈으로 쳐다보기만 했다. 불쌍해 보이는 양을 계속 쳐다볼 수 없어서 눈을 감았다. 양이 사라졌다. 얼마나 시간이 지났을까? 양이 궁금해 다시 살며시 눈을 떴다.

어둑한 천장의 모습이 눈에 들어왔다. 가족은 여전히 깊은 잠 가운데 있었고 화롯불은 마지막 열기를 힘겹게 뿜어내고 있었다.

왜 천사가 아닌 양이 꿈에 나타났을까? 그것도 삐쩍 마른 볼품없는 어린 양이. 그리고 그 눈, 어린 양의 슬픈 눈을 떨쳐 버릴 수 없었다.

부모님

5 BC, 갈릴리 나사렛

"해가 중천에 떠 있는데 아직도 자고 있어?"

아버지의 불호령에 잠이 깼다. 주위를 둘러보니 벌써 날이 훤히 밝아 있었다. 흙 묻은 옷을 비비고 있는 아버지는 아침 일찍 일하러 나갔다가 벌써 돌아오신 것 같다. 어머니는 부엌에서 바쁘게 일하고 계셨고 맛있는 냄새가 집 안에 가득했다. 남동생 시몬은 먹이를 주며 양과 장난치고 있었다. 바로 밑의 여동생 아비가일은 집에 없었다. 아마 친구들과 밖에서 놀고 있을 것이다.

"너 어디 아픈 것 아니니?"

어머니가 하던 일을 멈추고 돌아서 젖은 두 손을 비비며 걱정스러운 목소리로 물었다. 어떻게 대답해야 하나 생각하고 있는데 어머니가 아버지를 보며 말을 이었다.

"오늘따라 안 일어나길래 이마를 만져보니까 열이 있는 것 같아서 그냥 자게 내버려 뒀어요."

"너 어디 아파?"

조금은 화가 풀린 듯 그러나 여전히 무뚝뚝한 목소리로 아버지가 물었다.

"괜찮아요. 어젯밤에 잠을 못 자서 좀 피곤했나 봐요."

대충 둘러댄다는 것이 잠 못 잤다는 것을 사실대로 말해 버리고 말았다.

"왜 잠을 못 자?"

"약혼하고 나니까 걱정이 많겠지요."

어머니가 거들며 아버지에게 대답했다.

"누구나 다 하는 결혼인데 뭐가 걱정이야?"

"당신은 마리아가 다 컸다고 생각하겠지만, 열네 살이라는 것이 다 큰 어른이 된 것은 아니에요. 나도 당신과 결혼한 저 나이 때 두렵고 걱정이 많았다고요."

"알았어, 밥이나 줘. 배고파!"

어머니의 핀잔을 듣기 싫었는지 아버지는 말을 돌렸다.

"조금만 기다려요. 마리아, 나 좀 도와줘."

어머니는 막 굽기 시작한 빵을 마무리하라고 시키셨다. 빵이 조금씩 부풀어 오르기 시작했다. 화로의 활활 타오르는 불꽃이 제멋대로 흐느적거리고 있었다.

화롯불을 가만히 쳐다보자 어젯밤에 있었던 일이 기억나며 또다시 가슴이 뛰기 시작했다. 부모님께는 빨리 말해야 할 텐데 언제 어떻게 말하지? 어젯밤에도 걱정은 됐지만 오늘 아버지와 어머니를 마주 대하니 이 모든 것이 무서운 현실로 다가왔다.

"마리아, 너 뭐 하고 있는 거야? 빵이 다 타고 있잖아!"

그제야 빵을 뒤집어야 할 때를 놓쳤다는 것을 알았다. 어머니가 옆으로 와 재빠르게 빵을 뒤집었다. 빵은 이미 검게 타서 겉을 뜯어내더라도 먹을 수 없을 것 같았다.

"너는 가서 아비가일이나 찾아와, 밥 먹자고."

어머니에게 죄송하다고 말하고 아버지의 따가운 눈총을 뒤로 한 채 집 밖으로 나갔다. 시원한 아침 바람이 따스한 겨울의 아침 햇살 사이를 밀치고 들어왔다. 잠시 얼굴을 들고 눈을 감은 채 바람의 상쾌함에 빠져들었다. 겨울 햇살이 얼굴에 쏟아졌다.

깊게 심호흡을 한 뒤 눈을 뜨고 천천히 걸으며 주위를 둘러봤다. 어제와 똑같은 마을이고 풍경이었다. 옆집의 굴뚝에서도 연기가 모락모락 피어오르고 있었다. 그 집 아이는 집 앞에 웅크리고 앉아 땅에 뭔가 열심히 그리고 있었다. 늘 그러듯이 로마 병사를 그리고 있을 것이다.

로마 병사는 이 아이가 가장 좋아하는 그림 소재였다. 한번 지나가는 로마 군대의 행진을 본 후 그 광경을 잊지 못하는 것 같다. 늘 비슷한 누런 색의 옷을 입은 사람들만 보다가 처음 본 로마 병사의 화려한 모습은 아이에게는 신선한 충격이었을 것이다. 로마 군인의 빨간 외투, 쇠로 만들어진 반짝이는 갑옷, 세련된 투구와 허리춤에 찬 날카로운 칼, 그리고 손에 든 긴 창은 이 아이에게 강렬한 인상을 남겼을 것이다. 나도 백 명은 될 것 같은 로마 군대를 넋 놓고 쳐다본 기억이 났다. 경이로움과 두려움이 섞인 경험이었다.

"이게 무엇인지 알아, 마리아 누나?"

아이는 한번은 지나가는 나를 붙잡고 자신이 땅에 그린 그림을 가리키며 물었다. 사람인 것 같았지만 정확히 알 수 없어 "모르겠는데." 라고 대답했다. 아이는 그것도 모르느냐는 듯 의기양양하게 웃으며 큰 소리로 말했다.

"로마 군인이야!"

"아 그래?…… 그런데 이 머리 위에 돋아 있는 것은 뭐야?"

"그건 뿔이야. 로마 군인은 나쁜 사람이잖아. 그래서 뿔이 있는 거야."

아이의 아버지는 로마와 로마 군인에 대해 여느 유대인 가정과 마찬가지로 아이들에게 가르쳤을 것이다. 로마가 우리 민족을 지배하며 얼마나 핍박하고 괴롭히는지, 로마 군인들이 얼마나 잔인하고 거친 사람들인지. 그리고 로마의 지배로부터 이스라엘을 해방할 메시아가 올 것이라는 이야기도 했을 것이다.

집 옆의 들판에서 아이들이 즐겁게 떠드는 소리가 들렸다. 머리가 푸석하고 볼이 빨간 아이들이 제멋대로 뛰어다니고 있었다. 눈을 가늘게 뜨고 그곳을 응시하고 있는데 뒤에서 익숙한 목소리가 들렸다.

"언니, 여기서 뭐 해?"

찾고 있던 아비가일이 뒤에서 허리를 찌르며 물었다.

"너를 찾고 있었어. 얼른 집에 가서 밥 먹자."

아비가일은 그 소리를 듣자마자 집으로 뛰어들어갔다.

식사하면서도 어떻게 말을 꺼내야 할지 몰랐다. 천사 이야기를 해야 한다는 것은 알지만 어떤 말부터 시작해야 하나? 다른 가족은 즐겁게 이야기하고 있었지만 나는 대화에 참여할 수 없었다. 억지웃음도 몇 번 지었지만 초점 잃은 눈에서는 어떤 말도 나오지 않았다. 식사를 마치자마자 아버지는 일하러 밖으로 나가셨다. 예상대로 부모님과 조용히 이야기할 시간을 갖기는 쉽지 않았다.

저녁을 먹고 나자 아비가일과 시몬은 양에게 먹이를 주며 놀고 있었다. 아버지는 한쪽 구석에 있는 탁자의 다리를 고치느라 연장을 바꿔가며 바쁘게 일하셨다. 어머니와 나는 저녁 먹은 식탁을 정리했다. 오늘 저녁에는 꼭 이야기해야지 라고 마음먹고 나자 가슴이 더 떨렸다. 정리가 끝나고 매일 하는 저녁 기도를 위해 식탁에 온 가족이 다시 모여 앉았다. 늘 하던 대로 아버지가 기도문을 외우셨다.

"이스라엘아 들으라! 우리 하나님 여호와는 오직 유일한 여호와이시니 너는 마음을 다하고 뜻을 다하고 힘을 다하여 네 하나님 여호와를 사랑하라……"

매일 듣고 외우는 기도문이지만 오늘은 그 내용이 전혀 새롭게 다가왔다. 나는 그 어느 때보다 마음과 뜻과 힘을 다해 하나님을 사랑하고 지켜 주실 것을 믿어야 할 것이다.

'하나님 제가 당신을 진정으로 사랑합니다. 제발 저를 지켜 주십시오!'

기도가 끝나고 잠자리 준비를 시작하려고 할 때 겨우 어머니에게 말을 꺼냈다.

"할 이야기가 있어요. 어머니와 아버지가 함께 들어주셨으면 좋겠어요."

나지막이 말했지만 아버지도 알아들은 것이 분명했다. 식탁을 사이에 두고 온 가족이 다시 둘러앉았다. 아버지는 궁금한 표정으로 양손을 깍지 끼고 식탁 앞으로 다가앉으셨다. 검은 때가 낀 손톱의 거친 손이 눈에 들어왔다. 머뭇거리며 식탁 위만 내려다보고 있자 어머니가 부드러운 목소리로 물었다

"무슨 이야기?"

입술이 떨어지지 않았지만 가브리엘 천사와 있었던 이야기를 해야만 했다. 숨을 깊게 들이쉰 후 용기를 내서 얼굴을 들고 시작했다.

"사실 어젯밤에 일이 좀 있었어요."

"어젯밤? 무슨 일?"

아버지가 재촉했다. 내가 말을 잇지 못하자 옆에 앉아 있던 어머니가 다정하게 어깨를 감싸 안아 주셨다.

"어젯밤에 가브리엘 천사가 찾아왔어요."

맞은편에 앉아 있는 아버지의 눈치를 살피며 말했다.

"가브리엘? 천사장?"

"네, 자신이 가브리엘 천사장이라고 분명히 말했어요."

"꿈속에서 가브리엘 천사장을 본 것이구나."

깍지를 끼고 있던 손을 풀고 의자 뒤로 기대앉으며 아버지가 웃으며 말했다.

"꿈이 아니라 천사가 진짜 나타나서 나를 깨웠고 나에게 직접 말했어요."

아버지는 어이없는 표정이었다.

"나도 꿈인가 생각해서 두 번이나 허벅지를 꼬집어 봤지만 꿈이 아니었어요. 여기 꼬집어서 생긴 멍 자국이 아직도 있어요."

일어나 멍 자국을 보여주기 위해 치마를 걷어 올리려고 하자 아버지가 손을 내 저었다.

"그럼 천사가 왔었다고 치고. 너에게 뭐라고 말했는데?"

"천사가…… 제가 아들을 낳을 것인데 이름을 예수라고 지으라고 말했어요."

기어들어 가는 목소리로 겨우 대답했다.

"아들을 낳을 것이라니 그거 좋은 소식이네. 그래야 요셉의 집에 시집가서도 아들 못 낳는다는 말 들으며 마음고생 안 해도 되고. 이름은 뭐 요셉 집에서 정할 거니까 어떤 이름이든지 나는 상관없어."

아버지는 환하게 웃으며 어머니를 보며 말했다. 어머니도 굳었던 얼굴이 밝아지며 의자에 등을 대고 앉으셨다. 부모님이 이렇게 안도의 말을 하자 오히려 조바심이 났다.

"그게 아니라…… 요셉과 사이에서 아기를 낳는 것이 아니라 성령을 통해 임신할 것이라고 천사가 말했어요."

천사가 말했다는 마지막 부분을 천천히 힘주며 말했다. 드디어 이 엄청난 이야기가 내 손을 떠났다. 조심스럽게 아버지와 어머니의 얼굴을 살폈다. 아버지의 얼굴은 웃음기가 사라지며 돌처럼 굳어졌고, 어머니는 놀란 얼굴로 입을 다물지 못하고 나를 쳐다봤다. 내 말의 의미를 파악하려고 하는지 부모님은 한동안 말이 없었다. 시몬이 몸을 뒤척일 때마다 의자에서 나는 삐걱거리는 소리만이 적막을 깨고 있었다.

머리를 한 번 흔들더니 아버지가 이렇게 물었다.

"그러니까 가브리엘 천사장이 나타나서, 남자아기를 낳을 것인데 그 아기는 요셉과 사이에서 낳는 것이 아니라 성령을 통해 임신할 것이라고 말했다고?"

아버지의 눈이 무섭게 나를 쫓고 있었다. 말도 못하고 눈치를 보며 고개를 끄덕였다.

"너 어떤 놈에게 당했어?…… 그럼 그런 거짓말하지 말고 사실대로 말해. 그럼 이 문제를 어떻게 수습할지 함께 생각해 보자.…… 혹시 내가 아는 놈이냐?"

온몸이 부들부들 떨렸고 답답함이 가슴을 짓눌렀다.

"당하지 않았어요. 정말 아무 일도 없었어요. 저는 아직 처녀예요. 천사가 나에게 했다는 말은 모두 사실이에요."

자신 있게 큰 소리로 외치고 싶었지만 울음 섞인 목소리는 기어들어 가고 있었다.

부모님이 내 말을 안 믿을지 모른다는 생각을 안 한 것은 아니었다. 그러나 막상 아버지에게 "어떤 놈에게 당했어?" 라는 말을 들으니 가슴이 철렁 내려앉았다. 결국, 내가 상상한 최악의 상황으로 치닫게 되나? 예상한 최악은 부모님도 믿지 않고 집에서 쫓겨난 뒤 사람들에게 돌 맞아 죽는 것이었다. 그래도 하나님께서 천사를 통해 하신 말씀이기 때문에 이런 상황은 아닐 것이라 생각했었다.

"어떤 놈에게 당했으면 곧 배가 불러올 것이고 요셉과 사람들이 알게 될 텐데."

아버지는 내 말은 안중에 두지 않고 어머니만 쳐다보며 말했다.

"그놈을 찾아서 결혼시켜야 하나? 그러면 요셉과는 파혼해야 하는데 무슨 이유를 들어 파혼하지? 배가 먼저 불러오기 시작하면 사람들이 간음한 여자라고 돌로 쳐 죽이려고 할지도 모르고."

"안 돼요."

어머니의 외마디 비명이 날카롭게 집 안에 퍼졌다. 어머니의 뺨에서 눈물이 흐르기 시작했다. 옆에서 조용히 듣고 있던 동생들은 겁먹은 표정으로 눈만 끔벅끔벅하고 있었다. 숨을 고른 후 아버지가 다시 질문을 시작했다.

"그놈이 누구인지 몰라서 이런 말도 안 되는 거짓말을 하는 거냐?"

"제발 믿어 주세요. 저는 어떤 남자에게도 당하지 않았어요. 저는 진짜 아직 처녀예요."

어느 순간부터 나기 시작한 눈물이 멈추지 않았다. 믿어주지 않는 부모님이 원망스러웠다. 부모님도 내 이야기를 믿지 않는다면 다른 사람들은 더구나 어떻게 내 말을 믿겠는가! 부모님을 설득해야 한다는 마음이 간절했지만 무슨 말로 설득해야 할지 몰랐다.

"어떤 놈에게 당한 것이 아니라고?"

"네."

"나보고 성령을 통해 임신했다는 말을 믿으라고?"

부모님은 내 말을 믿지 않았다. 아버지는 말도 안 되는 거짓말이라며 화를 많이 내셨다. 그러나 계속 남자에게 당한 것이 아니라고 말하자 아버지는 체념한 듯 일단 내 이야기를 들어보겠다고 하셨다.

어젯밤 천사와 있었던 일을 처음부터 다시 말하기 시작했다. 아버지는 의심의 눈초리를 거두지 않았지만 일단 이야기는 계속할 수 있게 해 주셨다. 굳은 얼굴로 듣고 있던 아버지는 하나님의 아들이라 불릴 것이라는 이야기를 하자 화들짝 놀라셨다.

"하나님의 아들?"

아버지는 혹시 다른 사람이 있는지 살피는 듯 집 안을 두리번 거리셨다. 이야기가 엘리사벳이 임신했다는 부분에 도달하자 아버지는 어머니에게 확인하듯이 물으셨다.

"엘리사벳이라면 당신의 사촌이고 남편이 제사장이라는…… 혹시 그분이 임신했다는 말 들어 봤어?"

"못 들어 봤어요. 같은 동네에 사는 것도 아니라서. 그런데 아기를 가지려고 노력해도 안 됐고 이제는 아기 낳을 나이도 한참 지났을 텐데."

어머니가 눈물을 소매로 훔치며 말했다.

"그럼 정말 임신했는지 일단 확인해 보자고."

"제가 가겠어요. 제가 그분 집에 가서 직접 확인해 보겠어요."

나도 모르게 이 말이 먼저 입 밖으로 튀어나왔다. 다른 경로를 통해 엘리사벳이 임신했는지 확인할 수도 있을 것이다. 그러나 엘리사벳에게 기적이 일어났다면 그 사실을 직접 내 눈으로 확인해 보고 싶었다.

"네가 가겠다고? 그분이 사는 곳은 예루살렘 근처로 기억하는데. 어린 네가 어떻게 그 먼 곳까지 가겠다고?"

"그것도 나쁜 생각은 아닌 것 같네요. 약혼하고 스트레스가 많은 것 같은데 여행하며 마음을 정리하는 것도 괜찮을 것 같네요."

어머니는 표정이 어두웠지만 내 말을 거들었다. 아버지는 눈이 커지며 어머니를 쳐다봤고, 나도 깜짝 놀랐다. 평소의 어머니라면 어린 딸이 먼 곳까지 여행하는 것을 절대로 허락할 사람이 아니라는 것을 아버지도 나도 잘 알고 있다. 그러나 조금은 위험할 수 있는 여행을 어머니가 먼저 허락해 주셨다.

삼촌이 예루살렘에 갈 일이 있어서 이틀 후 가족의 배웅을 받으며 삼촌과 여행을 시작했다. 요셉에게는 친척 집에 일이 있어서 잠깐 방문하러 간다고 간단하게 말했다. 아비가일은 여행 가서 좋겠다며 자기도 함께 가면 안 되느냐고 보챘다. 이것이 그런 단순한 여행이면 얼마나 좋을까!

엘리사벳

5 BC, 유대 예루살렘 근처 마을

엘리사벳은 예루살렘 근방의 작은 마을에 살고 있었다. 그녀의 남편인 사가랴가 제사장이어서 자기 차례가 되면 예루살렘 성전에서 제사장의 직분을 수행해야 했기 때문이다. 마을 입구에서 만난 사람이 엘리사벳의 집 위치를 말해주자 삼촌은 밤이 되기 전에 예루살렘에 가야 한다고 말하며 먼저 떠났다.

마을은 낮은 언덕에 자리 잡은 평범하고 조용한 마을이었다. 지는 해는 언덕 끝에 붉게 걸려 있었고, 집과 들판은 금빛으로 물들어 있었다. 굴뚝마다 하얀 연기가 몽글몽글 올라오는 마을은 분주하게 저녁을 준비하고 있었다. 그녀는 마을 안쪽에 있는 허름한 집에 살고 있었다.

그녀의 집 문 앞에 섰다. 집 안에서는 아무런 인기척도 들리지 않았다. 심호흡을 크게 한 다음 문을 가볍게 두드렸다. 문이 열리고 곱게 뒤로 묶은 반백의 머리카락이 유난히 반짝이는 한 여자가 나타났다. 잔주름이 가득한 얼굴과 불러온 배를 보면 누가 봐도 엘리사벳이라는 것을 알 수 있었다. 꾸벅 인사하고 내가 누구라는 것을 말했다.

"안나의 딸, 마리아라고? 반갑구나. 춥다, 얼른 들어가자."

환한 미소로 반겨주는 그녀는 내가 누구인지 바로 알아보았다. 나는 그녀에 관한 기억이 없는데, 그녀는 내가 어릴 때 나를 본 적이 있다고 한다. 엘리사벳이 가리킨 의자에 앉자 그녀도 내 옆에 앉으며 내 손을 부드럽게 잡았다.

"그런데 어쩐 일이냐? 어머니나 아버지는 함께 오시지 않았고?"

"네, 저 혼자 왔습니다.…… 말씀드릴 것이 있어서."

그 순간 엘리사벳이 얼굴을 찡그리며 불러온 배를 두 손으로 만지며 쳐다보았다.

"괜찮으세요?"

"갑자기 뱃속의 아기가 뛰며 발로 차는구나."

놀라며 한동안 배를 잡고 있던 엘리사벳은 무엇에 홀린 듯 말하기 시작했다.

"너는 여자들 중에 가장 복받은 사람이며, 네 태중의 아기도 복받은 분이다. 내 주님의 어머니가 나를 찾아오다니 이 얼마나 영광스러운 일인가! 네가 인사하는 소리를 듣는 순간 내 태중의 아기가 기뻐서 뛰었다. 주께서 말씀하신 것이 이루어질 것을 믿은 여자는 정말 행복하다."

내 주님의 어머니? 잠시 후 정신이 돌아온 듯 엘리사벳은 내 배를 한 번 쳐다보더니 나를 껴안았다.

"네 뱃속에 오시기로 약속된 메시아가 계시구나."

엘리사벳의 품은 따스했다. 그녀가 가만히 내 등을 토닥거리자 북받쳐 오르는 서러움에 눈물이 나기 시작했다. 부모님도 내 이야기를 믿지 않아서 결국 도망치듯이 이곳까지 왔다. 그런데 나에게 주님의 어머니라고 그리고 태어날 아기가 메시아라고 말하다니. 그것도 내가 천사와 있었던 일을 말하기도 전에!

감격의 얼굴로 나를 쳐다보는 엘리사벳을 보자 하나님께 감사의 기도가 저절로 나왔다.

"감사합니다."

"감사는 내가 해야지. 주의 어머니가 직접 와서 먼저 문안하다니, 이런 영광이 어디 있어! 먼 길을 오느라 고생 많았지? 밥은 먹었어?"

엘리사벳은 식사 준비를 서둘렀다. 긴장이 풀리고 흥분이 가라앉자 엘리사벳의 집이 눈에 들어왔다. 크지 않은 집이지만 손님방이 따로 있고 창문도 컸다. 부엌은 벽을 따라 길게 자리했고, 부엌 앞에 있는 조그만 식탁과 등받이가 높은 의자는 새것인지 아직도 나뭇결이 보였다. 그 외에 구석에 놓여 있는 옷장과 조그만 탁자들이 가구의 전부였다. 소박하고 잘 정돈된 느낌이었다. 아이 없이 두 분만 살고 있어서 그런 것 같다.

식사 준비가 끝나갈 무렵 그녀의 남편인 사가랴가 돌아왔다. 엘리사벳은 나를 소개하며 주의 어머니라고 말했다. 사가랴의 눈이 동그랗게 커졌지만 아무 말없이 나를 보며 미소만 지었다.

"저녁 먹고 나서 사정을 말해 줄게."

엘리사벳이 터져 나오는 웃음을 참으며 말했다.

저녁을 먹은 뒤 사가랴는 꺼질 듯 할딱이는 화로의 불을 키우기 위해 장작을 더 넣었다. 조금 후 불이 치솟아 오르며 집 안을 환히 비추기 시작했다. 화로 앞에 웅크리고 앉아 있는 사가랴의 얼굴이 붉게 달아올랐다. 사가랴는 화로를 한 번 휘젓고 식탁으로 돌아왔다. 엘리사벳은 부엌 정리를 마친 후 식탁에 앉자마자 바로 물어보기 시작했다.

"그런데 어떻게 네가 주님의 어머니가 되었니?"

그녀는 이것이 제일 궁금했을 것이다. 나도 내 이야기를 빨리 끝내고 엘리사벳이 어떻게 아기를 갖게 되었는지 묻고 싶었다. 엘리사벳과 사가랴에게 가브리엘 천사와 있었던 일을 빠짐없이 말하기 시작했다. 그들은 때로는 놀라 서로 쳐다보기도 하며 내 이야기에 집중했다. 천사가 그녀의 이야기도 했다고 말하자 그녀는 깜짝 놀랐다.

"가브리엘 천사가 내가 임신한 사실을 너에게 말했다고?"

부모님께서 내 이야기를 믿지 않았다고 말하자 엘리사벳은 측은하게 나를 쳐다보았다.

"부모님이 아직 믿지 않는다고 너무 서운하게 생각하지 마. 성령으로 임신했다는 말을 쉽게 믿을 수는 없겠지."

내 이야기를 믿는 사람이 있다는 사실에 감사했다. 그리고 어딘가에는 내 이야기를 믿는 사람이 더 있을 것이라는 생각이 들었다. 어쩌면 부모님도 내 말을 믿지 않은 것을 지금 후회하고 있을지 모른다. 메시아를 낳을 딸을 자랑스럽게 생각하고 있을지도 모른다.

내 이야기를 끝내고 궁금한 것을 조심스럽게 묻기 시작했다.

"그런데 아기를 못 낳으셨다고 들었고 지금은 임신할 나이도 지나신 것 같은데 어떻게 아기를 갖게 되셨습니까?"

빠져나온 머리카락을 손으로 쓸어 올리더니 엘리사벳이 나를 보며 이야기를 시작했다.

"하나님의 은혜가 너에게만 있었던 것이 아니라 육 개월쯤 전에 우리 집에도 있었단다."

엘리사벳이 한번 눈을 지그시 감고 회상에 잠기는 듯하더니 이윽고 눈을 뜨며 사가랴가 겪은 이야기를 전해주었다.

"남편 사가랴가 예루살렘 성전에서 제사장으로 일할 때였고, 그날은 남편이 제비에 뽑혀 성막에 봉사하러 들어갔었어. 그가 분향하고 있을 때 갑자기 가브리엘 천사가 나타나 내가 아들을 낳을 것이고 이름을 요한이라고 부르라고 하셨는데."

천사가 엘리사벳이 낳을 아기의 이름도 직접 정해주었다.

"그리고 '아기는 어머니의 뱃속에 있을 때부터 성령이 충만하여 많은 이스라엘 사람을 주 하나님께로 돌아오게 할 것이다. 그는 엘리야의 정신과 능력을 가지고 주님보다 먼저 와서 백성들이 주님을 맞이할 준비를 하게 할 것이다.' 라고 말했는데."

자신이 겪은 이야기를 왜 사가랴가 직접 말하지 않나 궁금했다.

그를 힐끔 보았지만 반대편의 달아오른 화롯불만 뚫어지라 쳐다보고 있었다.

천사가 사가랴에게 했다는 말은 나의 이야기와 마찬가지로 놀라움 그 자체였다. 엘리야의 정신과 능력을 가진다는 말은 무슨 의미일까? 그러나 엘리사벳은 다른 말이 더 궁금했던 것 같다.

"의미를 정확히 알 수 없는 말들이었지. 그러나 우리가 정말 궁금했던 것은 '주님보다 먼저 와서' 라는 말이었어. 그런데 오늘 드디어 그 뜻을 알 것 같구나. 내 아이가 네 뱃속에 계신 주님보다 육 개월 정도 먼저 태어나는 것을 두고 한 말이었네."

다른 사람을 통해서도 내가 메시아를 낳을 것이라는 천사의 계시가 있었다는 의미였다, 그것도 육 개월 전에!

"오랫동안 노력해도 아기를 가질 수 없었고 또 임신할 나이도 이미 지났기 때문에 남편은 천사의 말을 믿을 수 없었지. 결국, 믿지 않는다고 천사에게 질책받았고, 그 벌로 말을 못 하게 됐고 그래서 지금도 말을 못 해. 아기를 낳고 나면 다시 말할 수 있을 거래."

사가랴가 오늘 한마디도 하지 않은 아니 못한 이유를 드디어 알게 됐다. 측은하게 남편을 쳐다보던 엘리사벳이 말을 계속했다.

"나도 처음에는 남편의 말을 믿을 수 없었어. 그러나 곧 입덧을 시작하게 돼서 사실이라는 것을 알게 됐지. 나이 들어 아기를 가졌다는 것이 부끄러워 처음에는 사람들에게 비밀로 했었어. 그러나 점점 배가 불러오며 더 이상 숨길 수 없어서 약 한 달 전에 임신한 사실을 사람들에게 말했어."

엘리사벳의 이야기를 듣자 마음 한구석에 있던 걱정이 바람에 날리듯 없어졌다. 만약 '엘리사벳을 방문했는데 임신하지 않았으면 어떻하나?'라고 염려했었다. 그런데 그녀가 임신한 것뿐 아니라 나의 임신을 알 수 있는 말을 천사가 말했다고 하니 더 확신이 들었다.

"집에는 언제 돌아갈 예정이니?"

"정한 날은 없지만 임신하신 것을 확인했으니 곧 돌아가야 할 것 같은데요."

"우리 집에서 당분간 나랑 같이 지내지 않을래? 천사의 계시를 통해 임신한 두 여자가 할 이야기가 많을 것 같구나."

갑작스러웠다. 계획에 없던 일인데 어떻게 해야 하나?

"돌아가지 않으면 부모님이 걱정하실 겁니다."

"마을에 나사렛이나 그 근처로 여행 가는 사람이 있는지 알아볼 게. 그 편에 부모님에게 소식을 전하고 당분간 나와 함께 이곳에 있겠다고 말해 보자."

여러 생각이 머리를 스쳐 지나갔다. 엘리사벳이 임신했다는 말을 들으면 부모님은 내 이야기를 믿을까? 만약 안 믿는다면 화난 아버지와 어머니의 눈초리를 받으며 살아가는 것도 걱정이었다. 더 두려운 것은 입덧하는 모습을 마을 사람들에게 들키는 것이었다. 어쩌면 엘리사벳도 이것을 걱정해서 이곳에 함께 있자고 제안하는지 모르겠다. 반면 이곳에는 나의 이야기를 믿어주고 또 가브리엘 천사의 방문을 경험한 사람이 있어서 마음이 훨씬 편할 것 같다.

나사렛 옆 마을에 갈 일이 있는 사람이 있었다. 그 사람 편에 나사렛에 들러서 부모님에게 말을 전해 달라고 부탁했다. 그 사람이 여행에서 돌아와 집의 근황을 알려 주었다. 부모님은 내가 이곳에 더 머물러 있어도 좋다고 하셨다.

여기서의 생활은 평온하고 즐거웠다. 곧 임신의 증상들이 나타나기 시작했다. 몸이 쉽게 피곤하고 나른해져서 시도 때도 없이 잠이 오곤 했다. 입덧을 시작하며 구역질이 나서 먹는 것도 힘들었다. 그러나 엘리사벳과 대화하며 보내는 시간은 언제나 즐거웠다. 제사장의 아내이어서 인지 엘리사벳은 율법과 선지자들의 가르침에 대해 많은 것을 알고 있었다. 그녀를 통해 오실 메시아에 대해서도 더 자세히 들을 수 있었다.

날이 점점 따뜻해지자 지붕 위에 있는 탁자에 앉아 보내는 시간이 점점 많아졌다. 따스한 봄 햇살을 온몸으로 맞이할 수 있었고, 무엇보다 그곳에서 볼 수 있는 탁 트인 마을의 전경이 마음에 들었다.

석 달 정도 지나자 고향이 그리워지기 시작했고 부모님과 동생들이 너무 보고 싶었다. 태어나서 처음으로 가족과 떨어져 지내는 시간이 편하지만은 않았다. 마을 사람들과 친해졌지만 그들이 내 가족과 고향의 친구들을 대신할 수 없었다.

엘리사벳도 출산이 가까워지자 배가 엄청나게 커졌고 거동이 점점 불편해졌다. 나도 배가 조금씩 불러오기 시작해 생활하는 것이 전과 같지 않았다. 엘리사벳이 아기를 낳을 때나 그 후에 내가 이 집에 계속 머무르는 것은 서로에게 불편할 것 같다. 더 이상 민폐가 되기 전에 집에 돌아가는 것이 좋을 것 같다.

엘리사벳과 사가랴에게 집으로 돌아가겠다고 말하자 두 분은 많이 아쉬워하셨다. 갈릴리로 여행하는 사람을 찾아서 함께 고향으로 돌아가는 길을 나섰다. 아기를 낳고 나서 다시 보자는 작별 인사를 하고 마을을 떠났다.

요셉

5 BC, 갈릴리 나사렛

나사렛으로 돌아온 후의 생활은 별로 달라진 것이 없었다. 아버지와 어머니는 엘리사벳이 임신했다는 소식을 들은 후에 내 이야기를 믿으려고 노력하셨다. 엘리사벳이 나에게 주님의 어머니라고 말했다는 이야기를 듣고는 놀라워하셨다.

"네 이야기를 듣기도 전에 너에게 주님의 어머니라고 말했다고?"

평범한 생활이 이어지며 초여름이 됐다. 그동안은 헐렁하고 두꺼운 겉옷이 있어서 불러온 배를 쉽게 가릴 수 있었다. 그러나 계절이 바뀌며 두꺼운 겉옷을 계속 입고 다닐 수도 없었고 또 배가 점점 더 커져 조심하지 않으면 불러온 배가 드러나기 시작했다. 다행인 것은 입덧은 엘리사벳의 집에 있을 때만 했고 고향에 돌아온 후에는 집에서만 한 번 더 했을 뿐이다.

사람들에게 임신한 사실을 계속 비밀로 할 수는 없었다. 그러나 어떻게 사람들에게 말해야 하나? 천사가 마을 사람들에게 나타나서 이야기라도 해주었으면 하는 바람이 있었지만 그런 기적은 일어나지 않았다.

무엇보다 중요한 것은 요셉이고 그에게 먼저 말해야 했다. 그가 믿고 내 편이 되어 준다면 사람들도 아마 나의 이야기를 믿을 것이다. 요셉과 결혼해서 가정을 꾸릴 수만 있다면 그래서 하나님의 아들이라 불릴 아기를 함께 키울 수만 있다면 더 바랄 것이 없다.

여름비가 내린 후 후덥지근하던 어느 날 저녁 요셉이 찾아와 할 말이 있다고 했다. 무슨 이야기이냐고 물었지만 그는 들은 척도 않고 앞장서 숲으로 난 오솔길을 따라 걸어갔다. 숲은 온통 적막에 싸여 있었고 채 마르지 않은 땅을 딛는 발소리만이 고요함을 깨고 있었다.

요셉은 미끄러운 길을 빠르게 걸었고 나는 뒤처지지 않으려고 걸음을 재촉해야만 했다. 그에게 천천히 가자고 말하고 싶었지만 무거운 분위기 때문에 말할 용기가 나지 않았다. 어둠 가운데 그늘져 보이는 그의 뒷모습이 나를 알 수 없는 두려움 속에 빠지게 했다.

어릴 때부터 잘 알았고 또 약혼자가 된 우리는 언제나 친구처럼 지냈다. 그러나 오늘 그의 모습이 너무 낯설다. 내려앉은 어둠의 무게만큼 답답한 침묵이 우리 둘 사이를 갈라놓고 있었다. 앞서 가다가 주위를 둘러보더니 요셉이 획 돌아서 묻기 시작했다.

"사람들이 수군거리는 말이 사실이야?"

평소의 다정한 목소리가 아닌 무뚝뚝하고 차가운 목소리였다.

"무슨 말?"

"그러니까 사람들이…… 네가 임신한 것 같다는 말."

숨이 멎는 것 같았다. 어떻게 대답해야 하나? 만약 그가 내 말을 믿지 않으면 나는 그리고 이 결혼은 어떻게 될까? 가슴이 거칠게 뛰기 시작하며 입술이 바짝 말랐다.

아버지에게 요셉과 약혼할 것이라는 말을 처음 들었을 때 설렜던 기억이 났다. 부끄러워하며 아직 결혼할 마음이 없다고 말했지만 속으로는 날아갈 것 같은 기분이었다. 요셉은 성실하며 착하다고 소문난 열일곱 살의 청년이었다. 목수 일을 하며 장남으로서 돌아가신 아버지를 대신해 가족을 잘 이끌고 있었다. 요셉과의 결혼은 나도 너무나 바라던 일이었다. 그런데 어쩌면 결혼은 고사하고 파혼당할지 모른다는 생각이 미치자 눈물이 핑 돌았다.

"응, 사실이야."

침을 꿀꺽 삼킨 후 입술을 적시며 기어들어가는 목소리로 겨우 대답했다. 어두운 가운데서도 그의 얼굴이 순간 무섭게 일그러지는 것을 볼 수 있었다. 그의 표정에서 분노, 실망, 절망이 교차하고 있었다.

"어떻게 이런 일이……"

요셉은 말을 잇지 못했다. 그는 내가 사실이 아니라고 말해 주길 바랐을 것이다.

"그러나 네가 생각하는 그런 일이 있었던 것은 아니야. 다른 남자가 아니라 성령을 통해 임신한 거야."

"성령을 통해 임신했다고? 도대체 그게 무슨 헛소리야. 다른 놈과 놀아나고 그걸 핑계라고?"

어이없는 표정을 지으며 요셉이 소리쳤다. '다른 놈과 놀아났다'는 말이 가슴을 아프게 했다.

"어떤 일이 있었는지 내가 다 말해 줄게."

불같이 화내는 그를 겨우 진정시키고 가브리엘 천사가 방문했던 날 밤에 있었던 일을 말하기 시작했다. 요셉은 일단 내 이야기는 들었지만 불신과 분노의 눈빛은 거두지 않았다. 그는 중간중간 비아냥거리는 투로 거칠게 쏘아붙였고, 그의 말 한 마디 한 마디가 비수가 되어 날아들었다.

이런 설명이 다 부질없는 짓이고 그는 어차피 내 말을 믿지 못할 것이라는 좌절감도 들었지만 이대로 포기할 수는 없었다. 어떤 방법을 쓰더라도 그를 설득해 내 이야기를 믿도록 해야 했다. 그게 내 유일한 희망이었다.

이야기는 끝을 향해 달려가고 있었다. 엘리사벳의 이야기를 하면 혹시 믿지 않을까 기대하며 잠시 말을 멈추고 그의 표정을 살폈다. 그러나 요셉의 화난 표정은 바뀌지 않았다.

"엘리사벳이라는 여자가 임신했으니 네 말도 믿으라고?"

"사실이라니까, 제발 나를 믿어 줘. 절대로 다른 남자와 부정한 짓을 하지 않았고 부정한 일을 당한 적도 없어. 제발 믿어 줘!"

"율법에 따르면 너는 돌 맞아 죽는 것 알지?"

요셉이 코웃음을 치며 빈정거리며 말했다. 가슴이 섬뜩해졌고 아무 대답도 할 수 없었다. 식은땀이 등을 따라 흐르기 시작했다.

이제 내 운명은 요셉의 손에 달렸다. 요셉이 내가 다른 남자의 아기를 가졌다고 말해 버리면 사람들은 분명 나를 돌로 쳐 죽이려고 할 것이다. 어제까지는 미래의 막연한 불안이었지만 오늘은 이것이 현실이 되어 죽음이 목에 칼끝을 겨누고 들어왔다. 어떻게 든 요셉을 설득해 믿게 해야 한다는 생각만이 치고 올라왔다.

"요셉, 믿어줘, 제발!"

그의 손을 잡으며 간절한 눈빛과 목소리로 말했다. 내 입에서 나온 그의 이름이 낯선 사람의 것같이 느껴졌다. 요셉이 내 손을 거칠게 뿌리쳤다. 눈물이 볼을 타고 하염없이 흘러내렸다. 요셉의 얼굴은 돌처럼 단단히 굳어 있었고 증오의 눈동자가 나를 노려보고 있었다. 그 눈빛이 두려웠지만 이대로 포기할 수는 없었다. 무조건 요셉에게 애원하고 매달려야 했다.

"내가 만약 부정한 여자이고 너와 사람들을 속이기 위한 거짓말을 하는 것이라면 무엇 때문에 하나님의 아들이라는 말까지 하겠어? 그렇다면 사람들에게 돌 맞아 죽기 전에 신성모독으로 하나님의 저주를 받아 벌써 죽었을 거야. 제발 믿어 줘. 내가 한 이야기는 모두 사실이야."

이 말을 하고 나도 깜짝 놀랐다. 내가 이런 생각을 해내다니! 요셉은 흠칫했고 놀란 얼굴로 아무 말도 하지 못했다. 그는 땅만 가만히 응시하며 뭔가 골똘히 생각하고 있었다. 무언의 긴장이 무겁게 우리를 짓눌렀다. 그러나 길어지는 그의 침묵 가운데 희미한 희망의 빛이 존재하는 것을 느낄 수 있었다. 침묵을 깬 것은 요셉이었다.

"나에게도 생각할 시간이 필요해."

요셉은 거칠게 내뱉고 휙 돌아서 마을 쪽으로 내달렸다. 그의 뒷모습이 짙게 깔린 어둠 속으로 차갑게 사라졌다. 자주 다니던 길이고 숲이지만 갑자기 모든 게 낯설었다. 온몸이 부들부들 떨리며 배가 당기고 아파지기 시작했다.

돌아가는 길에 몇 번이고 돌부리에 걸려 넘어질 뻔했다. 날이 어두울 뿐 아니라 멈추지 않는 눈물이 앞을 가렸다. 내 결혼 그리고 내 인생은 이렇게 꽃도 피워 보지 못하고 끝나는 것인가?

밤에 한숨도 잘 수 없었다. 막연한 불안이 현실이 되니까 무엇을 해야 할지 전혀 알 수 없었다. 아니 내가 할 수 있는 일은 아무것도 없었다. 모든 것은 요셉에게 달려 있었다. 요셉이 사람들에게 어떻게 말하느냐에 따라 내 생사의 운명이 갈릴 것이다.

집 밖이 소란스러워 잠이 깼다. 문을 열고 나가자 요셉과 몇 사람이 문 앞에 서 있었고 좀 떨어진 곳에는 사람들이 집을 에워싸고 있었다. 사람들이 나를 무섭게 노려보고 있었다.

"이 년은 나와 약혼한 사이인데 다른 남자의 아기를 가졌습니다. 간음한 이 년을 율법에 따라 돌로 쳐 죽여야 합니다."

요셉이 뒤돌아서 이렇게 외치자 다른 사람들도 요셉을 따라 간음한 년이라고 외치기 시작했다. 내가 상상한 최악의 상황이 벌어지기 시작했다. 돌 맞아 죽을지 모른다는 공포심에 온몸이 벌벌 떨렸다.

살기 위해서는 어디로든 도망가야 했다. 그러나 사람들이 집을 에워싸고 있어서 갈 곳이 없었다. 일단 집으로 뛰어들어가려는 순간 겉옷을 잡아채는 거친 손이 있었고 나는 땅에 나뒹굴고 말았다. 무릎과 팔에서 피가 났지만 아픈 것도 느낄 수 없었다. 나를 잡아챈 손아귀에서 벗어나려고 발버둥치며 돌아보자 그곳에는 요셉이 화난 얼굴로 서 있었다.

요셉은 사람들이 있는 곳으로 나를 끌고 가기 시작했다. 그에게 살려 달라고 애원하며 벗어나려고 안간힘을 썼지만 소용없었다. 목수의 억센 손을 뿌리칠 방법은 없었다. 요셉은 처음에는 화난 표정이었지만 어느 순간부터 야릇한 미소를 짓기 시작했다. 온몸에 소름이 돋았다. 요셉이 나를 사람들 한가운데로 거칠게 내동댕이쳤다. 흥분한 사람들은 돌로 쳐 죽여야 한다고 더 크게 소리치고 있었다. 사람들이 서서히 다가오기 시작했고 그중에는 손에 돌을 들고 있는 사람도 있었다.

그때 사람들 사이로 양이 보였다. 분명 꿈속에서 봤던 그 어린 양이었다. 몸은 파리했고 여전히 슬픈 눈으로 나를 쳐다보고 있었다. 오늘은 어린 양의 눈이 더 슬퍼 보였다. 아니, 눈물을 흘리고 있는 것 같았다. 그 어린 양만이 내 편이라는 생각이 들었다. 세상 사람들이 모두 나를 죽이려고 하지만 어린 양만은 나를 이해하고 도와줄 수 있을 것 같았다. 필사적으로 어린 양을 향해 손을 내밀며 다가가려고 했다. 그러나 사람들에게 막혀 양에게 다가갈 수 없었다. 사람들은 점점 더 가까이 다가왔고 죽음의 공포 때문에 숨쉬기조차 힘들었다.

"간음한 년이 어떤 벌을 받아야 하는지 내가 똑똑히 보여 주겠어."

한 사람이 이렇게 소리치며 돌을 높이 들었다.

"살려주세요!"

외마디 비명을 지르며 눈을 감았다. 순간 요셉과 사람들의 모습이 일그러지기 시작하더니 사라졌다.

비명을 지르며 잠에서 깼다. 아직 시커먼 새벽이었고 창틈 사이로 조각난 달빛만이 가늘게 쏟아지고 있었다. 온몸은 식은땀에 젖어 있었고 뻐근하게 아팠다. 가족들은 다행히 깨지 않고 조용히 자고 있었다. 꿈이어서 다행이라는 생각과 꿈에서의 사건이 실제 일어날지 모른다는 공포감이 머릿속에서 마구 뒤죽박죽이었다.

나와 아기의 운명은 어떻게 될까? 요셉도 나를 믿지 않고 결국 사람들에게 돌 맞아 죽게 되나? 눈물이 흐르기 시작했다. 뱃속의 아기도 놀랐는지 그의 심장 뛰는 소리가 들리는 것 같았다.

다시 잠을 이룰 수 없었다. 눈을 감으면 어둡고 끝 모를 깊은 바닥으로 내려가는 느낌이었다. 최악의 상황에 대한 절망적인 생각만이 자꾸 떠올랐다. 그 상상을 떨쳐내려고 노력할수록 그림자처럼 집요하게 달라붙어 벗어날 수 없었다.

뒤척이다가 가슴이 답답해 일어나 무릎을 꿇고 엎드렸다. 불러온 배가 눌리며 아스라한 아픔이 올라왔지만 그런 것은 문제가 아니었다. 하나님께 이 문제를 해결해 달라고 매달려야 한다는 한 가지 생각만이 나를 사로잡았다. 하나님께서 계획하시고 시작하신 일이니까 하나님께서 해결해 주셔야 했다.

막상 기도하려고 했지만 무엇을 어떻게 기도해야 할지 몰랐다. 매일 외우는 기도문 밖에 생각이 안 났다.

"이스라엘아 들으라. 우리 하나님 여호와는 오직 유일한 여호와이시니 너는 마음을 다하고 뜻을 다하고 힘을 다하여 네 하나님 여호와를 사랑하라……"

기도문을 더 읊을 수 없었다. 내가 원하는 기도가 아니었다. 기도마저 할 수 없다는 사실이 나를 좌절하게 했다. 온갖 나쁜 상상만이 계속 떠올라 머리가 빠개질 것 같았다. 그러다 갑자기 회당에서 찬양하던 노래가 생각났다.

"여호와는 나의 목자시니 내게 부족함이 없으리로다.…… 내가 사망의 음침한 골짜기로 다닐지라도 해를 두려워하지 않는 것은 주께서 나와 함께 하심이라 주의 지팡이와 막대기가 나를 안위하시나이다."

지금 내가 처한 상황보다 더 깊은 사망의 골짜기가 있을까? 평소 별로 신경 쓰지 않았던 찬양이었지만 나지막이 부르는 가운데 큰 위로가 됐다. 눌린 배가 불편했고 등과 다리가 쑤시고 아팠지만 이 찬양을 멈출 수 없었다.

찬양 가운데 하나님께서 분명 나를 지켜 주실 것이라는 생각이 떠오르기 시작했다. 분명 목자가 양을 지키듯 하나님께서 나를 지켜 주실 것이다. 주님의 지팡이와 막대기가 나를 지켜줄 것이다. 나는 하나님의 아들을 낳을 여자야. 하나님을 신뢰하고 믿어야 해.

가족들은 벌써 분주하게 아침을 시작하고 있었다. 어머니에게 늦게 일어나 죄송하다는 말을 하고 일단 집 밖으로 나왔다. 여름의 상쾌한 아침 바람이 살랑살랑 불며 얼굴을 간질였다. 집 건너편의 올리브 나무 아래에 있는 커다란 돌로 가서 앉았다. 마음을 정리하려고 했지만 생각의 조각들은 깊은 상념의 골짜기에 빠져 허우적거릴 뿐 맞추어지는 것은 하나도 없었다.

어제와 마찬가지로 오늘도 세상은 변함없이 돌아갈 것이다. 그러나 오늘부터 나의 모습은 어제와 같을까? 초점 잃은 눈으로 멍하니 땅을 쳐다봤다. 조그만 벌레가 등 껍질에 햇빛을 반짝이며 느릿느릿 지나가고 있었다.

멀리서 내 이름을 부르는 소리가 들렸다. 요셉의 목소리였고 그가 나를 향해 달려오는 것이 보였다. 지난밤 꿈속의 장면들이 떠오르며 가슴이 쿵쾅대기 시작했다. 다행히 요셉과 같이 오는 사람들은 없었다. 달려오는 그의 얼굴에 웃음이 가득했다. 왜 웃지? 혹시 어제 내 말을 듣고 절망하다가 미친 것 아닌가?

"나도 만났어, 천사장 가브리엘을."

가쁜 숨이 가라앉자 요셉이 내 옆에 앉으며 말했다.

"가브리엘 천사를?"

"지난밤에 가브리엘 천사가 나타나 모든 것을 말해 주었어."

내가 지금 꿈을 꾸고 있나? 가브리엘 천사가 요셉에게도 나타나다니! 요셉이 붉게 충혈된 눈을 반짝이며 말을 이었다.

"가브리엘 천사가 '다윗의 후손 요셉아, 마리아를 아내로 맞아들이는 것을 주저하지 말아라. 그녀가 임신한 것은 성령으로 된 것이다.' 라고 말했어."

"내가 성령으로 임신했다고 말했다고?"

"그래, 그리고 '마리아가 아들을 낳을 것이다. 그의 이름을 예수라고 불러라. 그가 자기 백성을 죄에서 구원하실 것이다.' 라고도 하셨어."

가브리엘 천사장이 나에게 했던 말과 같은 이야기를 요셉에게 해 주었다. 잔뜩 힘주고 있던 어깨가 내려가며 긴장이 스르르 풀렸다. 요셉이 내 눈을 바라보더니 두 손을 잡고 조용히 말했다.

"미안해 마리아, 너를 의심해서."

순간 버티고 있던 서러운 감정이 무너져 내리며 눈물이 터져 나왔다. 울음을 삼키느라 아무 말도 할 수 없었다. 요셉의 눈에도 눈물이 고였다. 요셉이 나를 안으며 등을 토닥여 주었다. 그의 가슴은 넓었고 한여름의 햇볕보다 더 강렬하게 따스했다.

지난밤에 기적이 일어났다. 세상 그 누구보다 요셉만은 나를 믿어 주기를 절박하게 바랐는데 그 기대가 현실이 됐다. 이제 세상 사람들이 나를 욕하며 손가락질해도 상관없다. 요셉이 나를 믿고 내 편이 되어준 것에 감사했다.

"그럼, 이제 내 말을 믿는 거지?"

이미 알고 있지만 다시 한번 확인하고 싶었다. 그의 입을 통해 다시 한번 듣고 싶었다.

"당연히 믿지."

요셉이 어제 나의 이야기를 들은 후에 겪었던 심적 동요를 말해 주었다. 요셉이 겪었던 마음의 혼란도 충분히 이해가 됐다.

요셉은 어제 갈등과 고민 가운데 빠지고 말았다. 집에 들어가지도 못하고 집 뒤 언덕에 올라가 혼자 여러 생각을 했다. 우선 그는 나에게 배신당했다는 생각에 분노가 치밀어 참을 수가 없었다. 마음이 어느 정도 진정된 뒤 자신이 처한 상황을 이해하고 앞으로 어떻게 할지 고민하기 시작했다.

요셉은 내가 다른 남자와 눈이 맞은 것은 아니고 분명 어떤 놈에게 어쩔 수 없이 당했을 것이라고 생각했다. 태어날 아기를 자신의 아기처럼 키우는 것도 방법의 하나라고 생각했지만, 아기와 나를 평생 사랑하며 살아갈 자신이 없었다. 물론 결혼 전에 관계를 맺은 부도덕한 놈이라는 말을 듣기도 싫었다. 또 자기를 닮지 않은 아기 때문에 나중에 겪어야 할 의심의 눈초리도 걱정됐다.

요셉은 '자신이 아기의 아버지가 아니라고 그냥 말해 버릴까?' 라는 생각도 했다. 그러면 나는 간음한 여자가 되고 돌 맞아 죽을 것이라는 생각이 들었다. 배신감 때문에 죽어도 상관없다는 생각도 잠시 들었지만 그것도 그가 원하는 상황은 아니었다.

요셉은 집에 돌아와서도 잠을 이룰 수 없었다. 밤새 뒤척이며 고민하다가 결국 그가 내린 결론은 조용히 파혼하는 것이었다. 그렇게 생각을 정리하고 나자 바로 그때 가브리엘 천사가 그의 앞에 나타났다.

성령으로 임신한 사실을 믿는 사람이 또 한 명 늘었다. 내가 그렇게 바라던 약혼자 요셉이 믿게 된 것이다. 정확히는 그도 천사의 말을 직접 들었기 때문에 믿어주는 것이 아니라 기적의 참여자이자 증인이 되었다. 조금 전까지는 나의 목숨이 요셉의 손에 달린 것 같은 처참한 기분이었는데 지금은 그가 나를 세상으로부터 지켜줄 든든한 성벽 같이 느껴졌다.

요셉과 나는 임신한 사실을 사람들에게 알릴 방법을 생각하기 시작했다. 당연히 부모님에게 먼저 말하기로 했다. 우리 부모님은 이제 딸 뿐 아니라 사위가 될 요셉도 천사를 통해 같은 말을 들었다고 하자 안 믿을 수가 없었다.

요셉의 가족에게 이야기하자 그들은 우리 둘을 의심의 눈초리로 째려봤다. 결혼 전에 관계를 맺고 아기가 생기자 비난을 피하려고 거짓말을 한다고 생각했다. 요셉은 가족을 설득하기 위해 계속 노력했고 결국 그들도 체념한 듯 믿는다고 말했다고 한다.

가족에게 말하는 것까지는 성공적이었다. 임신한 사실을 알게 된 모든 사람이 믿는 상황이 되며 조금씩 희망이 보이기 시작했다. 그러나 문제는 가족이 아닌 사람들이었다. 가브리엘 천사가 마을 사람들에게도 나타나서 진실을 말해 주면 얼마나 좋을까?

만약 사람들이 믿게 되면 나는 성령을 통해 아기를 가진 여자가 돼서 오히려 나를 좋게 생각하고 부러워하지 않을까? 즐거운 상상의 날개도 펼쳐 보지만 이내 걱정이 슬금슬금 올라오곤 했다. 만약 사람들이 우리의 이야기를 믿지 않는다면!

　우리에게는 두 가지 선택이 있었다. 첫째는 우리 둘이 관계를 맺어서 아기가 생겼다고 말하는 것이다. 사람들이 비난은 하겠지만 자연스러운 설명이고 결혼식 후에 함께 산다면 아무 문제가 없을 것이다. 둘째는 사실대로 말하는 것이다. 문제는 사람들이 믿을지 어떻게 반응할지 모른다는 것이다. 최악의 경우 나는 그냥 간음한 여자가 돼서 돌 맞아 죽을지도 모른다.

　고민 끝에 처음에는 둘 사이에 생긴 아기라고 말하려고 했다. 사실대로 말했다가 일이 잘못되면 위험을 감수하기엔 그 결과가 너무 치명적이었다. 그러나 계속 마음이 불편했다. 아니 불편한 정도가 아니라 뭔가 알 수 없는 두려움과 죄책감에 가슴이 조여 왔다.

　성령으로 임신했고 하나님의 아들이라는 계시를 받았는데 둘이 관계를 맺어서 낳았다고 말할 수는 없었다. 아기가 커서 하나님의 일을 하려고 할 때, 마을 사람들이 둘이 결혼 전에 관계를 맺어서 생긴 아기라고 고백했다고 말하면 큰 문제가 될 것 같았다. 하나님께서 계획하신 일을 망칠 수는 없었다. 우리는 사람들에게 사실대로 말하기로 했다.

간음한 여자

5 BC, 갈릴리 나사렛

마을 사람들에게는 안식일에 회당에서 말하기로 했다. 마을 사
람이 모두 모이는 자리이기 때문에 한 사람씩 따로 만나 설명할
필요가 없었다. 더 중요한 것은 다른 사람의 입을 통해 이야기를
전해 듣는 게 아니므로 잘못된 소문이 퍼져 나갈 가능성도 없었
다. 또 천사의 계시에 관한 이야기이기 때문에 회당장이나 서기
관들이 우리를 도와줄지도 모른다.

기울어가는 햇빛이 아직도 따가운 금요일 초저녁 회당장의 집
에 찾아갔다. 다음날 회당에서 말하는 허락을 받기 위해서였다.
회당장은 안식일 준비로 바쁘니 안식일 이후에 다시 찾아오라고
말했다. 중요한 이야기이고 꼭 오늘 중으로 하고 싶다고 말하자
회당장은 기다리라고 말하고 다시 집으로 들어갔다.

안식일의 시작을 알리는 종이 울리고 회당장이 다시 나왔다.

"그래, 할 이야기라는 것이 무엇이니?"

회당장의 목소리는 부드러웠다. 작은 체구에 살짝 잔주름이 잡힌 넓은 이마와 짙은 눈썹의 통통한 얼굴은 햇볕 아래서 일을 안 해서인지 비교적 하얀 편이었다. 그의 하얀 얼굴과 잘 정리된 수염이 그가 서기관이면서 회당장이라는 것을 말해 주고 있었다.

그는 토라와 선지서에 관해서는 마을에서 가장 권위가 있었다. 날카로운 지혜와 사람들을 설득하고 이끄는 능력이 있어서 회당장으로 또 마을의 지도자로 사람들의 존경을 받고 있었다. 요셉이 공손한 표정과 말투로 이야기를 시작했다.

"가브리엘 천사가 마리아와 저에게 찾아와 말을 전했습니다."

천사라는 말에 회당장의 눈이 커졌다. 요셉은 잠시 그의 놀란 얼굴을 살피다가 말을 이었다. 그는 조용히 요셉의 말을 듣고 있었다. 성령으로 임신할 것이라고 천사가 말했다고 하자 회당장이 요셉의 말을 가로채며 물었다.

"그럼, 지금 마리아가 임신한 상태인 거야?"

회당장이 고개를 돌려 내 배를 쳐다보았다. 요셉이 그렇다고 대답하고 이야기를 계속했다. 요셉이 말하는 동안 회당장의 눈길이 나의 불러온 배를 쫓았다.

요셉의 이야기가 모두 끝났는데도 회당장은 말없이 땅만 쳐다보고 있었다. 성령을 통해 임신했다는 이야기를 쉽게 받아들이기는 어려울 것이다. 그에게도 정리하고 생각할 시간이 필요할 것이다. 그의 침묵이 길어지자 조금 초조해지기 시작했다. 불편한 침묵을 깬 것은 요셉이었다.

"그래서…… 내일 안식일 예배 후에 제가 사람들에게 이 이야기를 해도 될까요?"

"내일?…… 그렇게 해."

드디어 회당장의 승낙이 떨어졌다. 그는 누구보다 하나님의 말씀을 잘 알고 또 전하는 사람이기 때문에 내일 우리를 도와줄 것이라는 생각이 들었다. 아니면 오늘 밤에라도 가브리엘 천사가 그에게 나타나 우리의 이야기를 해 줄지도 모른다.

집으로 돌아오는 길에 요셉은 뭔가 생각에 잠겨 있는 듯 말이 없었다. 어색한 분위기를 깨기 위해 요셉에게 말을 걸었다.

"회당장이 우리 이야기를 믿는 것 같아?"

"잘 모르겠어. 이렇다저렇다 말을 안 해서."

"이야기해도 된다고 했으니까 분명 우리를 믿고 도와줄 거야. 천사가 전해준 이야기잖아."

나는 살짝 들떠서 말했지만 요셉은 무덤덤하게 대답했다.

"그러기를 바라야지."

다음날 안식일 예배를 위해 회당에 갔다. 구름 한 점 없는 맑은 날이었다. 깨끗한 옷을 차려입은 사람들이 즐겁게 발걸음을 재촉하고 있었다. 회당 입구에서 요셉을 만났다.

"어떻게 말할지 준비는 잘했어? 안 떨려?"

"안 떨린다고 하면 거짓말이지만 하나님께서 도와주시겠지."

요셉은 싱겁게 웃으며 대답했지만 긴장한 것이 분명했다. 많은 사람 앞에서 말해야 한다는 부담감 때문에 초조해하고 있는 것이 분명했다.

회당 안으로 들어갔다. 요셉은 남자들의 자리로 갔고, 나는 여자들이 있는 곳의 중간쯤에 자리 잡았다. 그 사이에는 칸막이가 있어 요셉을 볼 수 없었다. 어머니는 계속 손을 만지작거리며 걱정스럽게 주위를 살피셨다.

"걱정하지 마세요, 어머니. 다 잘될 거예요."

웃으며 어머니에게 귓속말로 말했지만 요셉의 얼굴에서 읽을 수 있었던 긴장이 신경 쓰였다.

회당장은 성경 두루마리를 보관하는 커다란 단 앞에 있는 의자에 앉아 있었다. 그는 여느 때와 마찬가지로 미소를 머금은 얼굴로 사람들을 반갑게 맞아주었다.

안식일 예배는 평소와 다름없이 순서에 따라 진행되었다. 예배 중에도 머릿속은 온통 딴생각으로 가득해 이날 읽은 성경 내용이 기억나지 않았다.

안식일 예배가 모두 끝나자 그날 예배 사회를 본 서기관이 요셉이 할 이야기가 있다고 말했다. 요셉이 앞으로 나와 회당장에게 가볍게 인사한 후 사람들을 향해 섰다. 그의 손끝이 가볍게 떨리는 것을 볼 수 있었다.

요셉은 크게 심호흡을 한 뒤 가브리엘 천사가 찾아왔었다는 말로 이야기를 시작했다. 이 첫 말이 끝나자마자 사람들이 웅성거리기 시작했고, 당황한 듯 요셉의 눈빛이 흔들리고 있었다. 웅성거림이 줄어들자 요셉이 계속 이야기를 이어갔다.

요셉의 이야기가 계속되며 사람들의 웅성거림은 점점 커졌고 그에 따라 요셉의 목소리도 점점 더 커졌다. 말도 안 되는 이야기라고 소리치는 사람도 있었다. 사람들은 나를 노려보기 시작했고 뭔가 잘못되어 가고 있었다. 혹시 회당장이 도와주지 않을까 기대했지만 그는 입을 굳게 다물고 눈을 감고 있을 뿐이었다. 요셉의 이야기가 하나님의 아들이라고 불릴 것이라는 부분에 이르자 회당장의 아들인 안드레가 일어나 소리쳤다.

"신성모독이야, 신성모독!"

순간 회당 안이 찬물을 끼얹은 듯 조용해졌다. 신성모독이라는 단어가 주는 무게감과 공포 때문이었다.

"요셉은 마리아의 간음죄를 덮기 위해 지금 신성모독의 죄까지 범하고 있습니다."

몇몇 사람들이 신성모독이라고 외치기 시작했다. 어떤 사람들은 간음한 년이라고 소리쳤다. 신성모독과 간음한 년이라는 말이 아프게 파고들었고 심장이 격하게 뛰기 시작했다.

"제 말을 끝까지 들어……"

사람들이 외치는 소리 때문에 요셉은 계속 이야기할 수 없었다. 신성모독이라는 말이 더 심각한 문제이지만, 내 속에서는 간음한 년이라는 단어가 더 크게 메아리쳤다. 남자들이 나를 쏘아보며 칸막이 너머로 다가오기 시작했다.

몸이 벌벌 떨리며 식은땀이 흘렀다. 두려움에 고개를 숙이고 몸을 웅크렸다. 불러온 배가 눌리며 아픔이 전해졌다. 필사적으로 귀를 두 손으로 막았지만 간음한 년이라는 말은 희미한 가운데에서도 손을 뚫고 귓속으로 떨어졌다.

날카로운 아픔이 등으로부터 전해졌다. 어머니는 몸으로 나를 감싸며 울먹이는 목소리로 사람들에게 살려 달라고 애원하기 시작했다. 결국, 이렇게 사람들에게 맞아 죽게 되나? 간음한 여자, 신성모독의 죄를 범한 여자라는 누명을 쓰고 이렇게 맞아 죽게 되나?

또다시 둔탁한 아픔이 옆구리에 파고들며 온몸의 뼈마디로 전해졌다. 그러나 그 고통보다는 뱃속의 아기가 더 걱정됐다. 내가 죽는 한이 있더라도 뱃속의 아기는 지켜야 한다. 아픔이 밀려오고 가슴이 죄어들었지만 이 한 가지 생각만이 떠올랐다.

아버지와 요셉도 와서 나를 감싸 안았다. 사람들이 외치는 소리, 신성모독, 간음한 년이라는 말이 계속 가슴을 찔렀다. 죽음의 그림자가 슬금슬금 다가왔다.

"조용!"

회당장의 목소리였다. 그의 위엄 있는 외침에 사람들이 일순간 조용해졌다. 드디어 회당장이 우리를 위해 말하려고 나선 것 같았다. 모든 사람의 시선이 회당장에게 향했다. 그는 근엄한 얼굴로 걷기 시작했고 사람들이 그에게 길을 내 주었다. 그의 발소리만이 회당 안의 정적을 깼다. 회당장이 내 앞에 멈추어 섰다. 사람들을 한번 천천히 둘러본 후 회당장이 말하기 시작했다.

"마리아가 임신했습니다. 그런데 약혼자인 요셉의 아기가 아니라고 합니다. 그 아기는 성령을 통해 임신했다고 합니다."

회당장이 말을 멈추었다. 그의 얼굴에 엷은 미소가 번지기 시작했다.

"그건 말도 안 되는 이야기입니다. 태어난 이후에 성령이 함께 했다는 말은 들어봤어도, 성령을 통해 임신했다는 이야기는 토라나 선지서 어디에도 없습니다. 그리고 혹시 성령을 통해 임신하는 것이 가능하다고 해도 어떻게 마리아 같은 평범한 여자에게서 성령을 통해 그것도 하나님의 아들이 태어날 수 있겠습니까? 요셉과 마리아는 지금 거짓말을 하고 있습니다. 요셉의 아기가 아니라면 마리아는 다른 남자와 관계를 맺어서 임신한 것이 분명합니다. 그녀는 신성모독의 죄뿐 아니라 간음죄도 지었습니다. 간음한 여자는 돌로 쳐 죽여야 한다고 율법은 가르치고 있습니다. 그것이 하나님의 명령입니다."

깜짝 놀랐고 떨리는 몸을 주체할 수 없었다. 회당장은 우리를 도와주는 것이 아니라 오히려 나를 간음한 여자라고 정죄하며 돌로 쳐 죽여야 한다고 말하고 있다. 회당장의 말은 권위가 있어서 이 말은 나에게 사형선고나 마찬가지였다.

"마리아가 다른 남자의 아기를 가졌다면 누구보다 화내고 정죄해야 할 사람은 바로 저입니다. 그런데 왜 제가 앞장서서 그런 거짓말을 하겠습니까? 그 이유는 이 모든 것이 사실…"

요셉이 회당장을 향해 말하자 안드레가 갑자기 끼어들었다.

"마리아를 향한 사랑이 네 눈을 멀게 해서 다른 남자의 아기일지라도 받아들이고 함께 살려는 것이겠지, 안 그래? 그리고 너를 닮지 않은 아기가 태어날 것을 걱정해서 성령을 통해 임신했다는 거짓말을 생각해 냈겠지."

"마리아를 사랑하지만 그렇다고 무엇 때문에 하나님의 아들이라는 거짓말까지 하겠어? 적당히 선지자라고 말하면 될 텐데 무엇 때문에 신성모독으로 죽게 될지도 모르는 그런 엄청난 거짓말을 하겠어? 그 이유는 이 모든 이야기가 사실이기 때문이야!"

요셉과 안드레는 서로 노려보고 있었다. 팽팽한 긴장감이 회당을 감쌌고 사람들은 말없이 두 사람을 주목하고 있었다.

"우리의 이야기가 사실이라면 어떻게 하시겠습니까? 그렇다면 저희의 말을 믿지 않은 여러분은 하나님의 뜻을 반대하는 것이 됩니다. 그때 하나님의 저주를 감당하실 수 있겠습니까?"

적막을 깨고 요셉이 회당장과 사람들을 둘러보며 말했다. 요셉의 말에 사람들은 모두 깜짝 놀랐다. 하나님의 저주라는 말 때문인 것 같다. 또다시 무거운 침묵이 회당을 감쌌다. 회당장이 이맛살을 찌푸리고 요셉을 매섭게 노려보며 말을 다시 시작했다.

"너는 지금 신성모독이라고 정죄를 받고 있다. 그런데도 마리아가 성령을 통해 임신했고 하나님의 아들을 낳을 것이라고 가브리엘 천사가 말했다는 것이지?"

"무엇 때문에 마리아뿐 아니라 저도 돌 맞아 죽을 거짓말을 하겠습니까?"

"좋다! 그럼, 아기를 낳고 나서 보자. 아기가 정말 하나님의 아들인지 아니면 너희가 거짓말을 한 것인지는 나중에 태어난 아기를 보면 알 수 있을 것이다. 만약 너희가 거짓말을 한 것으로 밝혀지면 내가 제일 먼저 돌을 들 것이다."

회당장과 사람들은 우리의 이야기를 믿지 않는 것 같았지만, 하나님의 저주라는 말은 그들을 두려움에 떨게 하기에 충분했다.

"요셉은 지금 이런 말도 안 되는 거짓말로 우리를 속이고 있습니다. 그리고 하나님의 저주라는 간교한 말로 여러분을 협박하고 있는 겁니다."

화난 얼굴의 안드레가 사람들을 둘러보며 소리쳤다. 회당장이 안드레의 팔을 잡아끌었지만 그는 사람들을 계속 선동했다.

"마리아는 간음한 여자이고 율법에 따라 돌로 쳐 죽여야 합니다."

안드레는 아직 나이는 어리지만 회당장의 아들이고 곧 서기관이 될 예정이기 때문에 사람들이 그도 신뢰했다. 안드레의 말 때문에 분위기가 다시 험악해지기 시작했고, 사람들이 또다시 신성모독과 간음한 년이라고 외치기 시작했다.

진정됐던 가슴이 다시 격하게 뛰기 시작했다. 안드레의 선동에 따라 사람들은 점점 더 크게 간음한 년이라고 소리치고 있었다. 엎드려 귀를 막았지만 사람들의 외치는 소리는 점점 증폭되어 커질 뿐이었다. 죽음의 그림자가 또다시 슬금슬금 다가왔다. 사람들은 지치지도 않고 계속 외쳐 댔다.

어느 순간부터 사람들의 외치는 소리가 점점 작아지며 아득하게 멀어졌다. 혹시 이 모든 것이 꿈이 아닐까? 허벅지를 힘껏 꼬집었지만 아무것도 느낄 수 없었다.

눈을 뜨니 집이었다. 익숙한 나무 대들보의 천장이 눈에 들어왔다. 등과 옆구리에서 깨지는 통증이 느껴졌고 회당에서 있었던 일이 하나씩 기억나기 시작했다. 식탁에서는 아버지와 어머니가 대화하고 계셨다.

"안드레가 사람들을 선동하지만 않았어도 믿는 사람이 좀 있었을 텐데. 그놈 때문에 요셉이 이야기도 끝마치지 못하고 사람들이 흥분해 버려서……"

"마리아가 어제 회당장과 이미 이야기가 다 됐다고 말하지 않았어요?"

"마리아가 오해했든지, 아니면 회당장이 제대로 뒤통수치려고 오늘까지 기다렸겠지. 아까 조곤조곤 토라와 선지서를 들먹이며 마리아를 정죄하는 것 봐. 그리고 아들을 시켜서 신성모독이라고 소리치게 했겠지."

최악의 상황이 진짜 현실이 되어 나타났다. 나는 간음한 여자가 됐고, 그것을 숨기기 위해 신성모독의 죄까지 지은 사람이 됐다. 이스라엘 땅에서 최악의 죄를 두 가지나 지은 여자가 되고 말았다.

"마리아는 당분간 집 밖에 못 나가게 해. 그리고 문 두드리는 소리가 나도 누구인지 무슨 일인지 확인하기 전에는 절대 열어주지 말고. 혹시 안드레나 바리새인 놈들이 사람들을 꼬드겨 쳐들어올지 모르니까."

걱정하는 부모님의 마음이 느껴져 눈물이 났다. 결혼도 안 한 처녀가 임신한 것은 가문의 명예를 더럽히는 치욕스러운 일이다. 이스라엘 땅에서 치욕이라는 단어의 의미를 잘 알기 때문에, 부모님이 겪어야 할 수치와 비난도 감당하기 쉽지 않을 것이다.

"사람들이 정말 마리아를 돌로 치려고 할까요?"

어머니의 목소리는 걱정이 가득하였다.

"좀 지나면 괜찮아질 거야. 오늘은 사람들이 흥분해서 그랬지만 자기들도 먹고 살기 바쁜데 남의 일에 신경 쓰겠어? 더구나 사람을 죽이자고? 그리고 만약 사실이면 하나님의 저주를 받을지 모르는데 누가 그렇게 악착같이 죽이자고 달려들겠어."

요셉과 나는 회당에서 쫓겨났다. 더 이상 회당에서 안식일 예배를 드릴 수 없었다. 요셉은 회당에서 하는 교육에도 참여할 수 없게 되었다.

"어차피 율법은 이미 잘 알고 있어서 더 배울 것도 없어."

요셉은 웃으며 이렇게 말했다. 그러나 유대인으로서 회당에서 쫓겨난다는 것이 특히 남자에게 어떤 의미인지 잘 알기 때문에 걱정이다. 단순히 안식일 예배나 모임에 참석할 수 없다는 정도가 아니라 마을에서 사람 취급 못 받는다는 의미이기 때문이다.

집 안에만 있는 생활이 시작되었다. 배가 커져 어차피 돌아다니기도 쉽지 않았겠지만, 집에만 있는 것은 쉬운 일이 아니었다. 해가 뜨고 해가 지며 하루하루가 지나갔지만, 나에게는 시간의 흐름이 분명하지 않았다. 밤이 되어서야 살짝 집 앞까지 나가보곤 했다. 낮의 세상 그리고 친구들이 그리웠다.

하루는 친구 살로메가 저녁에 몰래 찾아왔다. 간단한 안부를 서로 전한 뒤 그녀에게 마을의 분위기를 물었다. 살로메는 처음에는 주저했지만 내가 계속 다그치자 마을에 돌고 있는 소문을 전해주었다.

진실이 가려진 이야기의 빈자리에는 여러 형태의 거짓이 자리 잡고 있었다. 믿지 않기로 작정한 사람들은 온갖 상상력을 발휘해 이야기를 꾸며내고 있었다. 상대와 방식에는 차이가 있지만 모든 이야기의 내용은 내가 다른 남자와 간음했고 그 사람의 아기를 가졌다는 것이다. 우리의 이야기는 한동안 이 시골 마을의 뒷담화 소재였다.

식사를 제대로 할 수 없었다. 배는 고픈데도 음식을 먹을 때마다 흙을 씹는 것 같아 목으로 넘길 수 없었다. 밤에도 제대로 잠을 잘 수 없었다. 눈을 감으면 회당에서의 일이 떠올랐고 간음한 년이라는 환청에 시달려야 했다.

잠 못 이루고 뒤척이다 새벽에 겨우 잠드는 일이 반복됐다. 잠이 들면 처참한 현실에서 잠시 벗어날 수 있었지만 깨어날 때는 잔혹한 상황이 더 큰 고통으로 다가왔다. 흩어졌던 기억의 조각들이 다시 맞추어지며 회당에서 겪었던 공포를 아침마다 새롭게 맞이해야 했다. 아무리 발버둥쳐도 벗어날 수 없는 올무와 같이 나의 삶을 갉아먹었다. 잠들지 못한 몸은 늘 무거웠다.

잠들었을 때도 항상 편안했던 것은 아니다. 악몽 속에서 헤매다가 비명을 지르며 깨곤 했다. 꿈에서 나는 아기를 안고 쫓아오는 사람들을 피해 끝없이 도망가야 했다. 뒤쫓는 사람들의 발걸음 소리가 다가오면 터질 것 같은 심장을 부여잡고 악을 쓰며 도망가야만 했다. 그러나 결국 사람들에게 붙잡히고 아기를 안 뺏기기 위해 몸부림치다 잠에서 깨곤 했다. 이상한 것은 꿈에서 사람들은 나를 죽이려고 하지 않고 언제나 아기를 빼앗아 가려고 했다.

그때 나의 유일한 즐거움은 요셉을 만나는 것이었다. 매일 집으로 찾아와 안부를 물었다. 내가 잘 있는지 아니면 사람들에게 괴롭힘을 당하지는 않는지 늘 걱정하고 있었다. 낮에는 사람들의 시선이 있어서 저녁에 해가 지고 나면 조용히 찾아왔다.

어느 날 저녁 요셉이 돌아간 뒤 아버지가 그의 이야기를 했다. 요셉은 간음한 여자와 결혼하려 하고 또 다른 남자의 아기를 키우려고 하는 멍청한 놈이라는 말을 듣고 있었다. 요셉의 어머니에게 파혼하라고 재촉하는 사람도 있는 것 같았다.

요셉은 여러 모욕적인 말을 듣는 것 같았지만 나에게는 단 한 번도 내색하지 않았다. 오히려 사람들에게 천사가 방문한 이야기를 하며 나를 보호하기 위해 애쓰고 있었다. 그도 속으로는 힘든 시간을 보내고 있을 텐데, 나에게는 언제나 웃으며 위로해 주는 그가 고마웠다.

방이 없다

5 BC, 갈릴리 나사렛, 유대 베들레헴

인구조사를 위해 고향에서 호적 등록하라는 로마의 칙령이 내려졌다. 사람들이 분주해지기 시작했고 특히 등록하러 가야 하는 가장들이 바빠졌다. 고향이 먼 사람들은 여러 날에 걸친 여행 준비가 필요했다. 요셉은 장남으로 가장이기 때문에 그의 고향인 베들레헴까지 등록하러 가야 했다.

"호적 등록하러 베들레헴에 가야 하는데 내가 없는 동안 잘 지낼 수 있겠어?"

하루는 요셉이 찾아와 걱정스러운 얼굴로 물었다. '괜찮아, 혼자서도 잘 지낼 수 있어.' 라고 말하고 싶었지만, 그가 없는 마을에 홀로 남겨지는 것이 두려웠다.

어느 정도 시간이 지났고 사람들도 우리의 일은 더 이상 신경 안 쓰는 것 같았다. 그러나 항상 걱정은 바리새인이나 서기관들이었다. 아버지의 말에 의하면 그들은 사람들을 가르치며 간음에 관한 이야기를 자주 하고 있었다.

간음에 관한 이야기를 들으면 사람들은 먼저 나를 떠올릴 것이다. 어떤 사람들은 나를 돌로 쳐 죽여야 한다고 생각할지도 모른다. 수면 위는 잔잔하고 고요했지만 물속에서는 어떤 소용돌이가 치고 있는지 알 수 없었다. 내가 아무 말이 없자 요셉이 다시 말했다.

"베들레헴까지는 거리가 멀어서 아무리 서둘러도 열흘 이상 걸릴 거야."

열흘이라는 말이 귓가에 메아리 쳤다. 요셉이 없는 열흘. 별일 없을 것이라는 생각이 들지만 만약 예기치 못한 일이 발생하면 누가 나를 지켜줄 것인가?

"아니면 베들레헴에 호적 등록하러 나와 함께 가도 되고."

요셉이 내 얼굴과 배를 불안하게 쳐다보며 말했다. 우리는 약혼했기 때문에 함께 호적 등록하러 가도 이상한 일은 아니다. 어차피 나도 요셉 집안의 사람으로 등록해야 했다.

출산까지는 아직 시간이 좀 남아 있지만 배가 산처럼 커져서 몸이 예전 같지 않았다. 내 몸 상태를 잘 아는 요셉이 함께 가자고 제안하다니!

요셉과 함께 가고 싶었고 집에만 있는 생활에서 벗어나고 싶었다. 그러나 쉽게 결정할 수 있는 일이 아니었다. 지금의 몸 상태

로 먼 곳까지 여행할 수 있을지 모르겠고, 무엇보다 부모님과 상
의를 안 할 수 없었다.

"부모님께 말해 보고 알려 줘."

요셉이 마치 내 마음을 읽은 것처럼 차분한 목소리로 미소 지
으며 말했다.

저녁 식사 후 부모님에게 이야기를 꺼냈다. 아버지는 걱정 가득
한 눈으로 내 배를 쳐다보며 이것저것 물어보셨다. 어머니도 표
정이 밝지 않았지만 자신의 경험으로 우리의 조바심을 달래 주셨
다.

"아직 어리고 건강하니까 무리만 하지 않으면 몸은 힘들어도
별일 없을 거예요."

출산 경험이 있는 어머니의 말이 베들레헴까지 여행할 수 있다
는 확신을 주어서 속으로 기뻤다.

"요셉과 네가 원하면 조심해서 갔다 와."

아버지의 얼굴은 어두웠지만 어쨌든 여행을 허락하셨다.

요셉과 나는 서둘러 마을을 떠났다. 빨리 갔다 와서 출산 준비
를 해야 했기 때문이다. 사람들이 보통 가는 요단강 동쪽의 먼
길이 아닌 사마리아를 지나는 지름길로 가기로 했다.

한여름의 무더위가 한풀 꺾이고 선선한 바람이 불기 시작해 여
행하기에는 더없이 좋은 날씨였다. 몸은 쉽게 지치고 피곤했지만
집을 떠나 요셉과 둘이 하는 여행은 즐거웠다. 저녁이 되면 지나
는 마을 중에서 묵을 곳을 물색했고 어려움 없이 찾을 수 있었다.

사람들은 불러온 배를 보고 먼저 다가와 어디서 왔느냐, 어디로 가느냐, 묵을 곳을 찾느냐 등을 물으며 친절하게 자기 집에서 하루 묵게 해주었다. 다음 날 아침 떠날 때는 여행 중에 먹을 음식도 챙겨 주었다. 사마리아 마을에서도 사람들은 언제나 친절했고 묵을 곳을 쉽게 찾을 수 있었다.

사람들에게는 당연히 결혼식을 아직 안 했다는 말은 하지 않았다. 물론 결혼한 여자들이 쓰는 베일도 하고 여행을 했다. 나의 불러온 배와 베일을 보고 사람들은 우리가 결혼한 사이라고 생각했다. 이렇게 다니자 정말 요셉과 결혼한 것 같은 생각이 들어 기분이 좋았다.

온종일 걸어야 했기 때문에 오후가 되면 발목과 무릎 특히 허리가 아팠다. 그러나 나사렛에서 겪었던 마음고생을 생각하면 이런 피곤과 아픔은 문제가 아니었다. 우리는 나의 몸 상태를 봐가며 아주 천천히 여행했다.

출발한지 열흘째 되는 날 아침, 예루살렘 옆을 지나고 있었다. 요셉은 혼자 여행할 때는 예루살렘까지 닷새 만에 도착한 적도 있다고 한다. 이제 반나절만 더 가면 돼서 베들레헴에는 오늘 중에 도착할 예정이다. 요셉은 여행 중에 베들레헴에 사는 친척들의 이야기를 많이 했고 모두 좋은 사람 같았다. 요셉은 오랜만에 친척들을 만날 생각에 약간 들떠 있는 것 같았다.

계속되는 여행에 몸은 점점 더 쉽게 피곤해졌다. 오늘은 몸만 피곤하고 아픈 것이 아니라 배가 많이 욱신거렸다. 베들레헴에 거의 다 왔을 때는 배가 너무 아파 걷기조차 힘들었다. 출산까지는 아직 시간이 남아 있는데. 베들레헴이 저 멀리 눈에 들어왔지만, 그 짧은 거리를 가는 중에도 가다가 쉬기를 반복할 수밖에 없었다. 오후쯤 도착 예정이었으나 저녁이 되어서야 겨우 베들레헴에 닿을 수 있었다.

도착했다는 안도의 숨을 쉬며 마을에 들어섰을 때 해는 언덕 끝에 걸려 있었다. 마을에 들어서자마자 요셉의 친척을 만났다. 사내는 남루한 옷차림에 얼굴은 땀으로 가득했고 더러웠다.

요셉이 먼저 알아보고 반갑게 인사했다.

"아 요셉,…… 여긴 어쩐 일이냐?"

"네, 호적 등록하러 왔어요."

요셉이 미소로 대답했지만 그 친척은 나를 한 번 흘깃 쳐다보더니 차갑게 물었다.

"약혼녀?"

순간 요셉이 당황하며 바로 대답을 못 했다. 놀란 것은 나도 마찬가지였다. 이곳까지 여행하며 만난 누구도 우리가 결혼한 사이라는 것을 의심하지 않았기 때문이다.

"아, 예."

요셉이 얼떨결에 짧게 대답했다. 사내는 탐탁지 않은 눈빛으로 나를 찬찬히 위아래로 훑었다. 그의 불편한 시선이 닿자 몸 위로 벌레가 기어가는 것처럼 소름이 돋았다.

"혹시 댁에서 하룻밤 신세 질 수 있을까요? 이제 막 도착해서 묵을 곳을 찾고 있습니다."

요셉을 바라보는 사내의 이마에 순간 주름이 잡혔다.

"우리 집에는 벌써 손님이 있어서 안 된다. 다른 집을 찾아봐."

이 말만 남기고 친척은 휙 돌아서 마을 쪽으로 가던 길을 갔다. 요셉의 얼굴에 놀람과 당혹감이 나타났다. 요셉이 어색한 미소를 지으며 말했다.

"우리처럼 호적 등록하러 온 사람이 그 집에 묵고 있나 보네."

온몸 관절 마디마디가 아프고 삐걱거렸다. 부어오른 발목이 화끈거렸고 배가 단단히 뭉쳐 커다란 돌에 눌린 것처럼 아팠다. 드디어 베들레헴에 도착했다는 안도감에 기운이 빠져 움직일 수가 없었다. 우리는 한동안 마을 입구에 그대로 앉아 있었다.

마을을 크지 않았고 구릉에 있는 나무들 사이로 집들이 어둡게 보였다. 마을은 고요했고 집마다 굴뚝에서 연기가 흔들리며 피어오르고 있었다. 저녁의 서늘한 바람이 온몸의 땀과 열기를 식혀 주었다.

얼마나 그곳에 앉아 있었을까? 기운을 차린 후 우리는 다시 무거운 발걸음을 옮겨 천천히 마을 안으로 들어갔다. 오른쪽으로 흙벽의 작은 집이 보였다. 굴뚝에서 연기가 몽글몽글 솟아오르는 그 집을 가리키며 요셉은 아는 친척집이라고 말했다. 특히 자기와 비슷한 또래가 있어서 전에 이 집에 묵으며 그와 재미있는 시간을 보냈다고 한다.

그 집 앞에 서서 문을 조심스럽게 두드렸다. 문이 열리고 한 남자가 나타났다. 갑작스러운 방문이었지만 남자는 별로 놀라는 눈치가 아니었다. 요셉이 꾸벅 인사를 한 후 사정을 말하고 하룻밤 묵을 수 있는지 물었다.

"우리도 이미 다른 손님이 있어서 내어줄 방이 없구나."

남자는 표정 없이 메마르게 말하고 문을 닫고 들어가 버렸다. 전혀 예상 밖이었다. 이곳까지 여행하며 단 한 번도 묵을 곳을 찾느라 어려움을 겪은 적이 없었다. 그런데 '우리도'라는 말은 또 무슨 의미인가?

할 수 없이 지친 발걸음을 돌려 다음 집으로 향했다. 역시 요셉의 친척이 사는 집이었다. 문이 열리고 나타난 남자는 경멸의 눈빛으로 나를 위아래로 훑었다. 그리고 거친 목소리로 한마디를 던지고 신경질적으로 문을 꽝 닫고 들어가 버렸다.

"창녀 같은 년!"

어떻게 이런 말이! 다리가 후들거리며 현기증이 났다. 쓰러지려는 나를 요셉이 부축해 주었다. 즐겁게 여행하며 잊고 있었던 사실이 또다시 냉엄한 현실로 돌아왔다. 가장 듣기 싫었던 치욕적인 말을 고향 나사렛에서 멀리 떨어진 이곳 베들레헴에서 듣게 될 줄은 상상도 못 했다. 나를 바라보는 요셉도 어찌할 줄 몰라 했다.

우리는 잠시 상황을 이해하려고 노력했다. 그러나 우선 급한 것은 하룻밤 묵을 곳을 찾는 것이었다. 왜 남자의 입에서 그런 말이 나오게 됐는지 생각하고 고민하느라 지체할 수는 없었다. 날은 이미 저물어 주위는 깜깜했고 시간은 우리 편이 아니었다.

나는 더 이상 걸을 힘이 없었다. 온몸이 쑤시고 배가 아파 걷기도 힘들었는데 창녀라는 말을 듣고 나니 다리가 후들거려 더는 걷기가 어려웠다. 요셉이 부축해서 바로 옆 공터에 있는 커다란 돌 위에 앉았다. 마을 입구에서 시끄럽게 울던 풀벌레 소리조차 들리지 않았고 지나가는 사람 하나 없었다. 사방은 고요했고 우리 둘만 처량하게 그곳에 앉아 있었다.

"여기 잠깐 앉아 있어. 내가 가서 묵을 곳을 찾아보고 올 게."

요셉이 혼자 묵을 곳을 찾으러 다녀오겠다고 하자 그가 영원히 나를 떠날지 모른다는 생각이 문득 들었다. 어둠과 침묵이 내려 앉은 낯선 곳에 혼자 있는 것이 무서워 나도 함께 가겠다고 말하고 싶었다. 그러나 몸이 아프고 가라앉아 나는 요셉과 함께 갈 수 없었다. 울음이 금방이라도 터질 것 같아 말은 못하고 어쩔 수 없이 고개만 끄덕였다. 요셉은 내 손을 꼭 잡은 뒤 불빛이 새어 나오는 한 집을 향해 달려갔다. 그의 뒷모습이 점점 희미해지자 그가 정말 나를 버리고 떠난 것 같은 공포가 오싹하게 돌았다.

요셉이 그 집 문 앞에 도착한 것이 어두운 가운데 어렴풋이 보였다. 문이 열리고 조금 있다가 다시 닫혔다. 어스름한 검은 형체가 다시 옆집으로 가는 것이 보였다. 문이 열리고 한 남자가 뭐라고 소리치고 이내 문을 닫고 들어가 버렸다. 간음한 년이라는 말이 희미한 가운데서도 또렷하게 들렸다.

순간 서늘한 깨달음이 머릿속을 울렸다. 이곳은 고향인 나사렛에서 지리적으로는 멀리 떨어진 곳이지만 소문이라는 측면에서는 이웃 마을보다 가까웠다. 먼 나사렛에서 있었던 일을 이 마을 사람들은 마치 마을 한복판에서 일어난 것처럼 잘 알고 있는 것이 분명했다. 이곳에 사는 요셉의 친척들은 나와 요셉의 이야기를 이미 알고 있는 것이 확실했다. 그 소문의 주인공이 요셉이라는 것과 그의 얼굴도 잘 알고 있을 것이다. 그리고 그 옆에 만삭의 배를 한 여자가 누구라는 것도. 그래서 마을 입구에서 만난 요셉의 친척이 나를 보며 약혼녀냐고 물었을 것이다.

차가운 냉기가 몸속을 파고들며 몸이 부들부들 떨렸다. 요셉의 자취가 어둠 속에서 사라졌다. 어둠과 적막함이 온몸을 휘감아 떨게 했다. 요셉이 떠난 그리고 세상 사람들이 떠난 빈 공간에 혼자 버려진 느낌이었다. 사라진 요셉을 다시는 못 보게 되지 않을까?

적막을 깨는 발소리가 멀리서 들려오기 시작했다. 발소리가 가까워지자 요셉이라는 것을 알 수 있었다. 그가 눈물겹도록 반가웠다. 하룻밤 묵게 해줄 집이 있을 것이라는 간절한 희망을 품어보았지만, 어둠 속에서도 그의 풀 죽은 모습을 통해 결과를 알 수 있었다.

"조금 더 찾아봐야 할 것 같아."

요셉이 옆에 앉으며 나지막하지만 반가운 목소리로 말했다. 그의 오른손을 무릎으로 가져와 두 손으로 꼭 잡았다. 차가운 목수의 억센 손이지만 희미한 온기가 전해져 함께 있다는 느낌이 들었다. 요셉이 나를 쳐다보더니 왼손을 가져와 내 손을 부드럽게 어루만져 주었다.

우리는 한동안 말없이 그렇게 앉아 있었다. 아직 묵을 곳을 찾지 못했다는 아쉬움도 있었지만, 불편한 적막이 깨지고 그가 다시 돌아온 것만으로도 충분했다.

"조금 앉았다가 다시 찾아볼 게. 우리가 묵을 집을 분명 찾을 수 있을 거야. 걱정하지 마."

침묵을 깨고 요셉이 말했다. 어느덧 솟아오른 반달이 작은 언덕 너머에서 구름에 반쯤 가려진 채 무심하게 빛을 발하고 있었다. 마을은 텅 비어 있었고 점점 어둠 속으로 가라앉고 있었다. 집마다 굴뚝에서는 연기가 너울거렸고 창밖으로 새어 나온 불빛이 아늑해 보였다. 그러나 이 많은 불빛 가운데 우리를 반겨주는 빛은 어디에도 없었다.

배는 점점 더 아파지기 시작했다. 이러다 아기를 낳을지 모른다는 생각이 들었다. 갑자기 진통이라도 시작하면 어떻게 하지? 아기를 곧 낳을 것 같다고 말하면 사람들이 하룻밤 묵게 해 줄까?

눈물이 뺨을 타고 흘러내렸다. 아기가 바라볼 처음 세상이 어쩌면 어둡고 거친 들판이 될지도 모른다는 생각이 들자 가슴이 산산 조각났다. 서러움이 북받쳐 눈물을 멈출 수 없었다. 두려움 가운데서도 겨우 참았던 눈물인데 태어날 아기를 생각하자 멈출 수가 없었다. 요셉이 나를 흘깃 보다가 깜짝 놀랐다.

"미안해, 마리아."

요셉의 눈시울도 젖어 있는 것을 볼 수 있었다.

그때 멀리서 검은 형체가 다가오는 것이 보였다. 목덜미에서 서늘함이 느껴졌다. 나의 놀란 표정을 보고 요셉도 고개를 돌려 그곳을 쳐다봤다. 달은 구름 속에 숨어 날은 더 어두웠다. 검은 형체는 점점 가까이 다가왔지만 그의 얼굴을 알아볼 수 없었다.

울음이 쏙 들어가며 소름이 돋기 시작했다. 낯선 곳에서 얼굴도 알아볼 수 없는 사람, 그것도 지금과 같은 상황에서. 혹시 우리를 해치려고 오는 것은 아닌가? 그가 가까이 다가오자 요셉이 한 걸음 앞으로 나서며 남자에게 말을 걸었다.

"혹시 저희를 찾으시나요?"

요셉의 목소리는 떨리고 있었다. 남자가 요셉 앞에 멈추어 섰다. 그는 마른 듯했지만 큰 키에 다부진 체격이었고 짙은 눈썹과 움푹 들어간 눈 그리고 갸름한 얼굴선이 전체적으로 날카로운 인상이었다.

"묵을 곳을 찾는 사람이 있다는 말을 들었는데, 너희 맞지?"

"네, 지금 찾는 중입니다만……"

요셉은 아직도 경계의 목소리였다.

"우리 집도 괜찮다면 가자. 집은 좁지만 너희 둘이 잠잘 곳은 마련할 수 있을 거야."

찾아가는 집마다 거절당했는데 모르는 사람이 직접 찾아와서 자기 집에 가자고 말하다니! 요셉이 감사의 말을 했고 어둠 가운데에서 남자가 밝게 웃는 것을 볼 수 있었다.

그 남자의 집은 멀지 않은 곳에 있었다. 불빛이 창틈으로 새어 나오는 집에서는 아이들의 웃음소리가 끊이지 않았다.

집은 손님을 위한 방이 따로 없는 작은 집이었다. 식구가 많아서인지 여러 자잘한 가구와 물건들이 많았다. 우리에는 양 세 마리가 있었고 우리를 보자 경계의 눈초리였다. 남자의 이름은 빌립이었고 아내와 아이들 다섯과 함께 살고 있었다. 남자아이가 셋 여자아이가 둘이었다. 큰 여자아이는 나이는 어려 보였지만 키가 나와 비슷한 정도로 컸다. 막내는 태어난 지 여섯 달 밖에 안된 남자아이였다.

빌립의 아내는 저녁 준비하던 손을 멈추고 문 쪽으로 와서 반갑게 우리를 맞아 주었다. 이 집에 오면서 '혹시 이 남자가 우리를 인적 없는 곳으로 끌고 가서 죽이려고 하는 것은 아닌가?' 라고 잠시 생각했던 나 자신이 바보 같이 느껴졌다.

"집이 좁아서 불편하겠지만 일단 오늘은 여기서 지내도록 해. 내일 다시 손님 방이 있는 집을 찾아보도록 하고…… 만약 못 찾으면 우리 집에 계속 있어도 되고."

남자의 목소리는 따뜻했고 걱정의 마음이 담겨 있었다.

"감사합니다. 저희 때문에 두 분과 아이들이 불편하겠네요."

"저희는 괜찮아요."

큰딸이 웃으며 재빠르게 말했다.

"그런 생각 말고 편하게 지내요."

빌립의 아내가 말했다. 그녀의 커다란 두 눈이 부드럽게 웃고 있었다.

마리아가 누울 수 있도록 빌립이 한쪽 구석에 이불을 깔아 자리를 마련해 주었다.

"저녁 먹기 전까지 좀 누워서 쉬어."

임신한 나를 배려하는 것이 느껴졌다. 남의 집이라 마음이 편하지 않았지만 자리에 눕자 졸음이 마구 쏟아졌다. 긴장의 끈이 풀어지며 피곤함이 몰려왔다.

고요하지 않은 밤

5 BC, 유대 베들레헴

저녁 후에 아이들이 잠자리에 들기 시작했고, 빌립 그리고 그의 아내와 둘러앉아 이야기를 시작했다. 화롯불이 가볍게 흔들리며 집 안을 밝히고 있었다.

"두 분이 아니었으면 우리는 아마 밖에서 하룻밤을 보내야 했을 겁니다. 정말 감사합니다."

"이 마을의 손님에게 당연한 일이지. 나쁜 사람들! 아무리 율법도 좋지만 우리 마을에 온 손님을 이렇게 대접할 수는 없지."

빌립의 말에는 노여움이 깃들어 있었다.

"더구나 임신해서 만삭의 몸인데. 마을의 수치이네요, 수치."

그의 아내가 내 배를 쳐다보며 맞장구를 쳤다.

빌립이 이 마을에서 그리고 오늘 저녁에 있었던 일을 말하기 시작했다. 예상대로 우리의 이야기를 이 마을 사람들은 이미 잘 알고 있었다. 나사렛 사람이 여행 중에 이 마을에서 하룻밤 머물게 되었고 그 사람이 묵은 집이 하필 요셉의 친척 집이었다.

요셉 가족의 안부를 묻는 가운데 우리의 이야기가 나왔고 결국 그 친척이 모든 것을 알게 되었다. 그 친척이 마을의 친지들에게만 말했지만, 소문이라는 것이 빨라서 결국 마을 사람 모두가 알게 되었다. 처녀가 성령으로 임신했다는 이야기는 이런 한적한 시골 마을의 재미있는 뒷담화 소재였다.

"그때 소란이 대단했어. 너의 친척들이 다윗의 가문에 치욕이라는 둥 어떻게 이런 일이 발생할 수 있느냐고 하며 난리가 아니었지. 나는 사람들이 나사렛으로 쳐들어가지 않나 걱정했다니까."

오늘 마을 입구에서 만난 친척이 우리의 도착 소식을 사람들에게 전했다고 한다. 그리고 우리를 손님으로 받아들이지 말자고 서로 약속했다고 한다.

우리가 마을 입구에 앉아 있는 동안 많은 일이 있었던 것 같다. 이 부부도 그 말을 전해 들었지만 마을에 온 손님을 냉정하게 거부할 수 없었다고 한다. 특히 내가 임신했다는 말을 듣고서 가만히 있을 수 없었다고 한다.

"저희는 감사하지만 그러다 마을 사람들에게 미움받으면 어쩌시려고……"

"어차피 다윗의 자손이라며 으스대는 꼴을 보기 싫었어."

빌립은 순간 당황하며 요셉을 쳐다봤다.

"자네도 다윗의 자손이겠네? 말을 막 해서 미안. 다윗의 자손인 것은 나도 존중한다고. 그러나 예언된 메시아가 자기 가문에서 나올 것이라고 얼마나 자랑질을 하는지……."

빌립은 메시아가 언제 올지 모르니 스스로 힘을 키워 로마를 이스라엘 땅에서 몰아내야 한다고 생각하는 사람이었다. 율법을 잘 지켜야 메시아가 빨리 올 것이라고 말하는 바리새인이나 서기관들을 못마땅하게 생각하고 있었다.

가만히 듣고 있던 요셉이 빌립에게 조심스럽게 물었다.

"혹시 저희 이야기를 믿으시나요? 그러니까…… 우리가 천사의 계시를 받았고 마리아는 성령으로 임신했다는 사실을."

"사실?"

빌립이 말꼬리를 물고 늘어졌다. 그는 잠시 고민하는 것 같았지만 이내 말을 시작했다.

"하나님께서 이집트에서 노예로 있던 우리 선조를 가나안 땅으로 인도하시며 모세를 통해 행하셨던 기적, 여러 선지자를 통해 행하셨던 기적들을 다 믿지. 그리고 지금도 앞으로도 기적을 행하실 수 있는 전능한 분이라는 것을 당연히 믿고."

빌립이 화롯불을 보며 잠시 뜸을 들였다가 말을 계속했다.

"그러나 너희에게 일어났다고 하는 이야기를 믿느냐고? …… 솔직히 잘 모르겠어. 너희 이야기는 모세를 통해 행하셨던 기적과는 전혀 다르잖아. 모세의 기적은 직접 목격하고 겪은 수많은 사람이 전해준 사실이지만 너희 이야기는……"

빌립은 말을 끝내지 못했다. 본 사람이 없고 증인이 없으므로 우리의 이야기를 믿기 어렵다는 말이다.

"미안해. 믿는다고 말해 주지 못해서…… 그렇지만 무엇이 사실이든 상관없어. 너희는 이 마을에 왔고 우리 집의 손님이라는 것이 중요하지."

빌립이 그의 아내를 쳐다보자 그녀가 미소로 고개를 끄덕였다.

우리의 이야기를 믿는 사람이 이 세상에 우리 둘밖에 없다는 냉혹한 현실을 또다시 새삼 깨닫게 되었다. 하나님께서는 왜 우리에게 천사를 보내 주신 것처럼 다른 사람들에게도 천사를 보내 그들이 믿을 수 있도록 해주시지 않을까? 왜 나를 선택하시고 사람들이 믿을 수 있게 뭔가 해 주시지 않는 것일까?

배가 끊어질 듯 아파지기 시작했고 점점 더 무겁게 내려가는 느낌이었다.

"괜찮아요? 계속 얼굴이 안 좋은데. 배가 많이 아파요?"

빌립의 아내가 걱정스러운 얼굴로 물었다.

"두 사람, 잠깐 저쪽에 가 주겠어요? 마리아의 상태를 좀 봐야 할 것 같아요."

두 남자는 그녀가 가리킨 쪽으로 갔다. 빌립의 아내가 물어보는 표정으로 나의 겉옷을 잡았고 나는 고개를 끄덕였다. 그녀가 겉옷을 들어 올리자 바닥과 옷이 피로 흥건히 젖어 있는 것이 보였다.

"얼른 물을 좀 끓여요. 아기를 곧 낳을 것 같아요."

긴장한 아내의 목소리가 바빠지기 시작했다. 아기를 낳을 것 같다는 말에 나의 가슴도 뛰기 시작했다. 결국, 집이 아닌 이 먼 곳

객지에서 아기를 낳게 되나? 어머니 없이 아기를 낳는다는 것은 상상해 본 적도 없었다. 물론 빌립의 아내가 출산을 도와줄 것이다. 그러나 어머니가 없는데 아기를 무사히 낳을 수 있을까? 그녀가 애를 다섯이나 낳은 경험이 있는 여자라는 것이 위안이 됐다. 그러나 이곳에 어머니는 없다.

빌립은 잠시 멍하니 서 있다가 이내 그릇에 물을 붓고 불 위에 올려놓았다. 그는 나무를 화로에 넣은 후 불을 키웠다. 요셉은 나를 안으며 이마에 배인 땀을 자기 옷 소매로 닦아주었다.

"가서 산파를 좀 불러와요."

아내의 말을 듣자마자 빌립은 문을 박차고 뛰어나갔다. 그의 아내는 산파가 오기를 기다리며 필요한 것을 준비하고 있었다. 그사이 배는 점점 더 아파졌고 우리는 초조하게 산파를 기다렸다. 산파의 집은 멀지 않다는데 빌립은 좀처럼 돌아오지 않았다. 산파도 준비해서 오느라 시간이 걸릴 것이라고 생각했지만 불안한 마음이 조금씩 올라왔다.

빌립이 화난 표정으로 돌아왔고 그의 옆에 산파는 없었다.

"몸이 아파서 올 수 없다고 하네. 잘 설득해서 함께 오려고 했는데 잘 안 됐어."

빌립이 우리를 보며 미안한 표정으로 말했다.

"그럼 됐어요. 내가 혼자 할 수 있어요. 나도 애를 다섯이나 낳았고 산파를 도와서 아기를 많이 받아봐서 문제없어요."

빌립의 아내는 웃으며 말했다. 나를 위로하기 위해 이런 말을 하는 것 같았지만, 돌아서는 그녀의 얼굴이 순간 어두워지는 것을 볼 수 있었다. 이 낯선 곳에서 어머니 없이 그것도 산파도 없이 아기를 낳아야 하다니!

빌립의 아내는 남편에게 이것저것 지시도 하고 탯줄 자를 칼을 소독하는 등 필요한 일을 하며 바쁘게 움직였다. 다행히 아기를 낳고 또 받아 본 경험이 많아서 무엇을 해야 하는지 잘 아는 것 같았다.

빌립은 내 쪽을 보지 않으려고 노력했다. 요셉은 아내의 지시대로 내가 기대앉을 수 있도록 뒤에서 받치며 나를 안아 주었다. 그는 내 손을 꼭 잡고 "잘될 거야, 걱정하지 마!" 라는 말만 반복했다. 빌립의 아내는 하혈을 시작했으니 조금만 더 고생하면 아기를 낳을 것이라고 말했다.

모든 준비가 끝나자 빌립의 아내는 배에 힘을 주어 보라고 말했다. 그러나 오랜 여행에 지치고 또 이곳에서 겪은 어려움 때문인지 힘을 줄 수가 없었다. 그의 아내는 계속 격려하며 어떻게 힘을 주어야 하는지 설명했다. 아기를 낳는 것은 어머니에게 들었던 것보다 훨씬 힘들고 고통스러운 과정이었다. 문제는 그녀가 말하는 대로 배에 힘을 줄 수 없다는 것이었다.

극심한 통증이 나타났다가 줄어드는 일이 반복됐고 그 주기는 점점 짧아졌다. 요셉의 손을 잡고 있는 왼손도 치마를 잡고 있는 오른손도 저려서 감각이 없었다. 내 손도 요셉의 손도 땀에 젖어 있었다. 아기는 좀처럼 세상에 나올 생각이 없는 것처럼 아랫배에서 버티고 있었다.

약 한 시간 정도 지났을까? 빌립의 아내도 요셉도 웃으며 나를 계속 응원했다. 너무 고통스러워 이런 상태로 계속 버틸 수는 없었다. 숨을 가다듬고 심호흡을 크게 한 뒤 온 힘을 다해 배에 힘을 주었다.

"조금만 더, 조금만 더, 아기의 머리가 나오기 시작해요. 조금만 더."

힘들고 고통스러워 포기하고 싶었지만, 아기의 머리가 나온다는 말에 젖 먹던 힘까지 내서 아랫배에 힘을 주었다. 함께 내지른 날카로운 비명이 거칠게 퍼져 나갔다. 그때 배에서 뭔가 쑥 빠져나가는 것 같은 느낌이 들었고 아내의 손에 핏덩이 아기가 들려 있는 것이 보였다.

아기 예수가 태어났다. 그가 드디어 세상에 나왔다. 조그만 아기는 몸을 웅크린 채 힘없이 울고 있었다. 빌립의 아내는 아기를 따뜻한 물에 정성껏 씻은 후 깨끗한 천에 싸서 나에게 건네주었다. 드디어 무사히 아기를 낳았다. 비록 집이 아닌 먼 타향 베들레헴이지만 건강하게 낳았다.

품에 꼭 안긴 아기를 내려다보며 볼을 조심스럽게 쓰다듬었다. 아기는 아주 작고 빨갛고 힘이 없어 보였지만, 자신의 존재를 세상에 알리듯 울고 있었다. 아기의 볼에 가볍게 입 맞추자 내가 엄마인 것을 안다는 듯 갑자기 울음을 멈추었다.

이렇게 작은 아기가 하나님의 아들이라고 불릴 것이라니! 아기의 모습만 보면 그 사실을 믿기 어려웠다. 아기의 운명은 어떻게 될까? 이 아기와 함께할 나의 운명 그리고 우리의 운명은 어떻게 될까? 아기를 꼭 안은 채 눈을 감았다.

나의 사랑하는 아기,

오랜 기다림을 뒤로하고 드디어 너를 만나게 되었구나. 너를 안고 있는 지금 이 순간, 감격과 기쁨에 하나님께 감사한다.

오늘 하루 너도 힘들고 고통스러웠지? 미안하다, 아가야. 네가 태어나는 순간부터 너를 지켜주고 행복하게 해 주겠다고 약속했는데. 어쩌면 앞으로 살아갈 우리의 삶이 장밋빛 인생만은 아닐지 모르겠다.

그러나 약속할 게. 나는 항상 네 곁에 있으며 너의 편이 되어주고 네가 필요한 것을 채워 줄 게. 더 중요한 사실은 너는 하나님의 아들이라는 것이야. 하나님께서 너를 지켜 주시고 네 길을 인도해 주실 거야. 네가 어떻게 하나님의 뜻을 이루어 나갈지 너무 기대된다. 너는 나에게는 아주 특별한 존재이고 가장 귀중한 하나님의 선물이라는 것을 잊지 말아 줘.

사랑한다, 나의 아가!

소란 때문에 아이들은 벌써 모두 깨어 있었다. 그들은 내 옆에 옹기종기 모여 신기한 듯 아기를 바라보고 있었다. 빌립의 아내도 마무리한 뒤 나에게 왔다.

얼마 동안 아기를 안고 있었을까? 팔이 아팠다. 정확히는 온몸이 누군가에게 흠씬 두드려 맞은 듯 쑤시고 아팠다. 긴 하루였다. 잠이 오기 시작했다. 아내의 걱정스러운 목소리에 선잠에서 깼다.

"아기는 지금 자고 있으니까 저쪽 말구유에 잠시 뉘어 놓는 것이 좋을 것 같아요. 마리아도 좀 쉬어야지. 말이 죽은 후 청소하고 사용 안 해서 말구유는 깨끗해요. 새 짚과 자리를 깔고 그 위에 아기를 뉘면 괜찮을 거예요. 아이들이 돌아다니다 아기를 건드리거나 아기 위로 넘어지면 안 되잖아요."

빌립의 아내가 내 얼굴을 쳐다봤다.

"그게 좋겠네요."

힘없이 대답한 후 아기를 그녀에게 건네주고 쓰러지고 말았다.

꿈에 양이 나타났다. 그 어린 양은 똑같이 파리한 몸에 슬픈 눈을 하고 있었다. 눈은 아련해 보였지만 얼굴은 기쁨에 찬 표정이었다. 한 얼굴에 나타난 슬픔과 기쁨의 대조가 어색했다. 양이 슬퍼하는 것인지 기뻐하는 것인지 알 수가 없었다. 양은 여전히 아무 소리도 내지 않았고 내게 다가오지도 않았다.

증인

5 BC, 유대 베들레헴

문 여는 소리 그리고 사람들의 부산한 소리에 잠이 깼다. 낯선 모습이 눈에 들어왔고, 고향에서 멀리 떨어진 베들레헴의 남의 집에 누워있다는 사실을 깨달았다.

말구유 쪽을 보자 요셉, 빌립, 그리고 그의 아내와 모르는 사람들이 구유 안을 들여다보고 있었다. 몸을 일으켜 앉았다. 몸은 여전히 이곳저곳 아프고 쑤셨다. 내가 깬 것을 눈치챈 요셉이 와서 몸 상태를 물었다. 괜찮다고 대답한 후 구유 쪽을 향해 고갯짓하며 누구인지 물었다.

"이 근방에 사는 목동들이야. 천사가 그들에게 나타나 이야기해서 예수에게 경배하기 위해 왔데."

"저 사람들에게도 천사가 나타났어?"

요셉이 미소와 함께 고개를 끄덕였다. 천사가 다른 사람들에게도 나타났다. 내가 간절히 바라던 일이 드디어 일어났다.

빌립의 아내가 예수를 안고 와서 건네주었다. 예수는 아직도 조용히 자고 있었다. 세 목동도 내 곁으로 왔다. 그들의 옷은 낡고 더러웠으며 머리카락은 땀 때문에 뒤엉켜 있었다. 젖은 얼굴이 흔들리는 호롱불에 번들거렸다.

한 목동이 자신들이 오늘 겪은 일을 말하기 시작했다.

"밤에 밖에서 양 떼를 지키고 있을 때 갑자기 천사가 나타났습니다. 천사가 '무서워하지 말아라 내가 너희에게 모든 백성들이 크게 기뻐할 좋은 소식을 알린다. 오늘 밤 다윗의 동네에 너희를 위하여 구주가 나셨으니 그분이 곧 그리스도 주님이시다. 그 증거로 너희는 포대기에 싸여 구유에 뉘어 있는 갓난아기를 볼 것이다.'라고 말했습니다."

구유에 뉘어 있는 아기라면 바로 예수를 말하는 것이 아닌가! 그리고 천사가 목동들에게 예수를 그리스도 주님이라고 말했다.

"구유에 뉘어 있는 아기라는 말을 듣고 이상하다고 생각했습니다. 그리스도 주님이 왜 구유에 누워 계실까? 그리스도 즉 메시아라면 당연히 유력한 가문 또는 부잣집에서 태어날 것이라고 생각했기 때문입니다."

목동은 순간 놀라며 집주인 부부 그리고 나와 요셉의 눈치를 살폈다. 목동이 옷소매로 땀을 한번 쓱 닦은 후에 말을 계속했다.

"그런데 다른 한편으로는 만약 유력한 가문이나 부잣집에서 태어났다면 경배하기 위해 올 생각도 못 했을 겁니다. 우리 같은 사람이 찾아 가 봐야 문 앞에서 쫓겨날 것이 뻔하기 때문입니다. 그러나 구유에 누워있다는 말을 듣고 경배하기 위해 용기 내서 올 수 있었습니다."

그들은 이 마을에 도착해 아직 불이 밝혀져 있는 이 집을 발견했다. 문을 두드리고 물어보니 오늘 밤에 태어난 아기가 있었다. 그리고 그 아기가 구유에 누워 있는 것을 보고 단번에 천사가 말한 그리스도 주님이라는 것을 알 수 있었다.

목동들이 말하는 동안 빌립과 그의 아내는 입을 다물지 못했다. 목동들의 이야기를 들으며 몇 번인가 그들의 입에서 조용한 탄성이 흘러나왔다.

요셉이 목동들에게 우리가 천사에게 들은 이야기를 해 주었다. 그들은 놀란 표정으로 고개를 끄덕이며 요셉의 이야기에 집중했다. 빌립과 그의 아내도 놀라며 요셉을 쳐다봤다. 그들은 마을 사람들에게 들었던 이야기와 다르다고 말했다. 목동들은 예수에게 예를 갖추어 경배하고 웃음 가득한 얼굴로 돌아갔다.

드디어 천사가 다른 사람들에게도 나타났고 그들에게 예수가 그리스도 주님이라고 말해 주었다. 두려움에 떨며 여호와는 나의 목자라고 기도했던 사실이 기억나서 웃음이 났다. 결국, 그 기도의 응답으로 진짜 목동들을 보내주신 것인가?

비록 천한 목동일지라도 우리 이야기를 믿는 사람이 또 늘었다. 가슴이 계속 콩닥콩닥 뛰며 좀처럼 흥분이 가라앉지 않았다. 요셉의 얼굴도 붉게 상기되어 있었다.

"다 잘될 것이라고 했지? 주님의 어머니, 잘 부탁합니다."

손을 내저었지만 요셉의 농담이 싫지 않았다. 지금 이 순간의 행복이 계속될 수 있다면 얼마나 좋을까!

아이들은 피곤했는지 다시 잠들기 시작했다. 주인 부부도 피곤할 테니 그만 쉬라고 말하며 자리에 누웠다. 몸은 두들겨 맞은 것처럼 뼈 마디마디가 아팠지만 기쁨과 흥분된 마음에 뒤척일 수밖에 없었다.

집 앞이 소란스러웠고 또다시 토막잠에서 깼다. 집 밖에서 낙타의 울음소리와 어지러운 발자국 소리가 들렸다. 이윽고 문 두드리는 소리가 났다. 이 한밤중에 도대체 누구일까? 혹시 이 마을 사람들이 나를 죽이려고 쳐들어온 것은 아닐까?

손님은 두 명이었고 옷차림으로 봐서 이방인 같았다. 그러나 그들은 이전에 가버나움이나 예루살렘에서 보았던 장사하는 이방인들과는 사뭇 다른 분위기였다. 품위 있고 고귀한 사람같이 보였다.

그들은 자신이 누구이고 왜 이곳에 왔는지 설명하기 시작했다. 다행히 요셉과 빌립이 헬라어를 할 줄 알아서 그 사람들과 대화할 수 있었고 빌립의 아내와 나에게 통역해 주었다.

그들은 동쪽에 있는 어느 나라에서 왔다고 말했으나 처음 들어보는 나라였다. 요셉이나 주인 부부의 표정을 보니 그들도 그 나라를 모르는 것 같았다. 자신들은 학문을 연구하는 사람이라고 소개했다. 그리고 자신들이 관찰하고 연구하던 별과 관련된 이야기를 말하기 시작했다.

한 달쯤 전부터 특별히 밝게 빛나는 별이 갑자기 나타났고 그들은 그 별을 주의 깊게 관찰하며 연구하기 시작했다. 별의 밝기나 움직임은 이전에 한 번도 본 적이 없었으며 예사롭지 않았다. 그 별을 계속 연구하던 중 한 사람이 꿈에서 "그 별은 유대인의 왕으로 나실 이의 탄생을 나타내는 별"이라는 말을 듣게 되었다. 별도 꿈도 너무나 이상하고 신기한 체험이었다. 그들은 이 별을 통해 태어날 유대인의 왕은 아주 특별하고 위대한 분일 것 같아서 경배하기 위해 여행을 시작했다.

꿈에 유대인의 왕이라는 말을 들었기 때문에 이스라엘로 방향을 잡고 여행을 시작했고 별도 그들의 길을 인도했다. 그들은 먼저 예루살렘으로 갔고, 유대인의 왕이 될 아기가 어디 있는지 사람들에게 물었다. 그들은 당연히 사람들이 왕이 될 아기에 대해 잘 알고 있을 것이라 생각했다. 그러나 그곳에 아기에 관해 아는 사람은 없었다.

이들의 소문을 들은 헤롯왕이 사람을 보내, 그들은 헤롯왕을 만나게 되었다. 그리고 유대인의 왕으로 나실 분은 베들레헴이라는 마을에서 탄생할 것이라 예언되었다고 들었다. 그래서 그들이 이곳 베들레헴에 오게 되었고 별을 따라 이 집까지 올 수 있었다.

그들은 내 품에 안겨 있는 예수를 보며 물었다.

"이 아기가 이스라엘의 왕이 되실 분입니까?"

예수가 이스라엘의 왕이 될 것인가? 천사에게 다윗의 보좌라는 말을 들어서 '아기가 왕이 될 것인가?'라는 생각을 했던 기억이 났다. 요셉이 맞다고 대답했다. 그들은 다가와 예수를 신기한 듯

한참을 쳐다봤다.

박사들이 자리를 잡자 요셉이 천사가 자신과 나에게 전해준 이야기 또 조금 전 찾아온 목동들이 전해준 이야기를 그들에게 말했다. 그들은 자신들이 본 별과 꿈에서 들은 이야기, 우리가 천사에게 들은 내용, 그리고 목동들이 전해준 이야기가 모두 한 아기의 탄생을 나타내는 것이라는 사실에 놀라워했다.

"그런데 솔직히 이스라엘의 왕으로 오실 분이 이런 초라한 모습으로 태어날 것이라고는 상상도 못 했습니다."

무슨 말을 해야 할지 몰랐다. 목동들도 똑같은 말을 했고 사실 우리도 그 부분은 계속 스스로 던졌던 질문이기 때문이다.

"이스라엘의 왕이 될 분이면 당연히 왕이나 아니면 적어도 높은 가문에서 태어날 것이라고 생각했습니다. 베들레헴에서 태어날 것이라는 말을 들었을 때도 베들레헴이 꽤 큰 도시이거나 아니면 적어도 왕족이 살지 않을까 생각했습니다."

그들은 이런 말을 하고 있지만 실망한 표정은 아니었다. 내가 회당에서 맞아 죽을 뻔한 이야기를 들으면 그들은 더 놀랄 것이다. 이스라엘의 왕이 될 아기를 낳을 어머니를 죽이려고 했다고! 그런데 빌립이 오늘 이 마을에서 있었던 일을 그들에게 말했다. 아마 대화에 참여하고 싶었을 것이고 자신이 왕이 될 아기를 낳는데 도움이 되었다는 자부심도 있었을 것이다. 박사들은 헛웃음을 치며 고개를 저었다.

"왕이 되실 분을 못 알아볼 수 있다고 하더라도 어떻게 만삭의 임신한 여자에게 그렇게 냉정할 수 있지요?"

빌립이 그들에게 율법에 관해 말했지만 그들의 안타까워하는 표정은 변하지 않았다.

그때 요셉이 뭔가 떠오른 듯 박사들에게 이런 말을 했다.

"우리 민족 역사상 가장 위대한 왕인 다윗도 왕의 가문에서 태어난 것이 아니고 평범한 집안의 막내였고 목동일 뿐이었습니다. 하나님께서 그가 어린 나이일 때 왕이 될 것이라고 선지자를 통해 말씀해 주셨고 결국 가장 위대한 왕이 되었지요."

"그럼 이 아기는 어린 나이일 때도 아니고 태어나기도 전에 왕이 될 것이라고 당신들의 신께서 말씀해 주신 것이네요."

"그럼 이 아기가 다윗보다 더 위대한 왕이 되지 않을까요?"

다른 박사가 이렇게 말하며 웃자 집 안의 모든 사람이 그를 따라 웃었다. 다윗왕도 다른 위대한 왕이나 선지자들도 모두 태어난 이후에 하나님께서 그들을 부르셨다. 그러나 하나님께서는 예수가 태어나기도 전에 우리에게는 하나님의 아들, 목동들에게는 그리스도 주님, 그리고 이 박사들에게는 왕이 될 것이라고 말씀해 주셨다.

"다윗은 어린 나이에 왕이 될 것이라는 말을 들었지만 실제로 왕이 된 것은 삼십 세가 넘은 뒤였습니다. 왕이 될 때까지의 과정도 도망자로서 힘들고 어려운 삶이었지요."

다윗이 사울왕을 피해 도망 다녔던 이야기를 회당에서 들은 기억이 있다. 블레셋이라는 나라로 도망갔을 때는 목숨을 구하기 위해 미친 사람처럼 행동했다고도 들었다. 다윗왕이 겪었던 고난은 아마 우리가 지금 겪고 있는 것보다 훨씬 더 길고 힘들고 견디기 어려웠을 것이다. 우리도 이 힘든 시간을 견디고 나면 마찬가지로 좋을 일이 있을까?

박사들이 가방에서 상자를 꺼냈다. 깨어난 아이들을 포함해 모든 사람의 시선이 일제히 상자를 향했다. 그들이 상자를 내 앞에 놓고 절을 하며 이스라엘의 왕이 될 아기에게 드리는 선물이라고 말했다. 요셉이 상자를 열자 그 안에는 황금 그리고 유향과 몰약이 들어 있었다. 말은 들어 봤지만 실제로 황금을 보는 것은 처음이었다. 황금이 어두운 불빛 가운데서도 반짝반짝 아름답게 빛났다.

선물을 주고 나서 박사들은 그만 돌아가겠다고 말했다. 인사를 하고 나가다가 그들은 갑자기 생각난 듯 뒤돌아서 말을 했다.

"헤롯왕이 왕이 될 아기가 어느 집의 누구인지 자기에게 꼭 알려 달라고 부탁했습니다. 자기도 유대인의 왕이 될 아기에게 경배하고 싶다고. 그래서 예루살렘에 들렀다가 돌아갈 예정입니다. 헤롯왕도 곧 아기를 경배하러 올 겁니다."

"헤롯왕이 아기에게 경배하기 위해 온다고요?"

나도 모르게 이렇게 소리치고 말았다. 모든 사람이 깜짝 놀라 서로 쳐다보며 입을 다물지 못했다.

나 그리고 우리를 향한 오해와 고생은 이렇게 끝나는구나. 헤롯왕이 예수를 경배하면 사람들은 우리 이야기를 믿을 것이다. 더 이상 간음한 여자라는 치욕이나 고통은 없을 것이다. 아마 사람들도 왕을 따라 예수에게 경배할 것이다. 나는 왕이 될 아기를 낳은 엄마가 된다. 어쩌면 헤롯왕이 왕궁에서 예수와 함께 살자

고 부탁할지도 모른다. 예수와 요셉과 함께하는 왕궁에서의 삶이
라!

목동과 박사라는 사람들이 찾아왔을 때 '왜 하필 목동이고 이
방인인가?' 라고 생각했었다. 목동은 천한 직업의 사람일 뿐이고
아무리 고귀한 박사라고 해도 그들은 이방인일 뿐이다. 빌립과
그의 아내가 이들이 방문했던 사실을 사람들에게 말해 주겠지만,
그렇다고 목동이나 이방인이 사람들에게 영향력이 있는 것은 아
니다.

그러나 헤롯왕이 와서 예수에게 경배한다면 그 어떤 사람이 방
문하거나 증언하는 것보다 훨씬 더 강렬한 인상을 줄 것이다. 사
람들이 우리의 이야기를 믿지 않을 수 없을 것이다.

박사들은 돌아갔지만 빌립과 그의 아내는 아직도 흥분이 가시
지 않은 듯 예수를 뚫어지라 쳐다봤다. 나도 쿵쾅거리는 가슴을
진정시킬 수 없었다. 아이들은 박사들이 주고 간 선물을 만지작
거리며 즐거워하고 있었다. 흥분된 마음을 겨우 진정시킨 후 모
두 다시 자리에 누웠다.

몸은 말할 수 없이 아프고 피곤했지만 잠은 오지 않았다. 어떻
게 이 모든 엄청난 사실들을 안고서 잠들 수 있겠는가!

헤롯

5 BC, 유대 베들레헴 예루살렘

다음 날 요셉은 호적을 등록했다. 요셉에게 마을의 분위기를 물었지만 달라진 것은 없었다. 소문이 빨라서 마을 사람들은 목동과 동방 나라의 박사들이 방문한 것을 벌써 알고 있었다. 그러나 예상대로 마을 사람들의 태도는 변하지 않았고 여전히 차가운 기운이 감돌았다고 한다. 빌립이 등록하는 곳에 요셉과 함께 갔는데 그를 향한 사람들의 태도도 싸늘했다고 한다. 집주인 부부에게 미안했다.

호적을 등록하고 나면 바로 나사렛으로 돌아갈 예정이었다. 빨리 돌아가 출산 준비를 해야 했기 때문이다. 그러나 이곳에서 예수를 낳는 바람에 계획에 차질이 생겼다. 아기를 낳고 바로 여행할 수도 없었지만, 정결 예법에 따라 나는 일주일 동안 부정한 상태가 됐다. 또 아기를 낳고 사십 일 후에는 성전에서 정결 예식을 해야 했기 때문에 이곳에 계속 머물기로 했다. 물론 헤롯왕을 기다리는 것도 중요한 이유였다. 헤롯왕은 우리가 베들레헴에 있는 것으로 알고 있기 때문이다.

빌립은 자기 집에 계속 있어도 좋다고 말했다. 계속 신세 지는 것이 부담됐지만 주인 부부는 편하게 지내라며 언제나 웃으며 말했다. 만약 이 마을에 도착한 날 이 부부의 도움이 없었다면 우리는 어떻게 됐을까? 차갑고 어두운 들판에서 누구의 도움도 없이 예수를 낳지 않았을까? 예수가 무사히 태어날 수 있었을지도 알 수 없는 일이다.

그들은 목동과 동방박사들의 놀라운 이야기를 함께 들었기 때문에 우리의 이야기를 당연히 믿었다. 하룻밤 사이에 이 집 부부와 우리는 많은 일을 함께 겪으며 친해져서 마음을 터놓고 이야기할 수 있는 사이가 되었다.

다행히 박사들이 주고 간 선물이 있어서 그중 일부로 감사의 마음을 전할 수 있었다. 주인 부부는 처음에는 절대 받을 수 없다고 손사래를 치며 거절했지만 결국 실랑이 끝에 유향의 반을 받았다. 우리에게 해 준 고마운 일을 생각하면 황금까지 주어도 아깝지 않았다. 그러나 나머지는 예수를 위해 써야 해서 잘 간직하기로 했다.

예수는 무럭무럭 자라 통통하고 볼 빨간 귀여운 아기가 되었다. 그 조그만 몸에 손가락도 발가락도 모두 다섯 개씩이라는 것이

경이로웠다. 예수의 몸에서 나는 젖비린내가 향기로웠다. 우유를 달라고 그리고 기저귀를 갈아 달라고 우는 모습을 보는 것도 행복이었다. 그의 눈은 세상을 환하게 비추는 빛과 같이 맑았다. 그를 안고 있으면 세상을 다 가진 것 같은 기분이었다. 예수는 나를 보면 방긋 웃었고 그 모습은 지금까지 겪었던 고통을 잊게 해주는 축복과 같았다. 그리고 헤롯이 예수를 경배하러 올 것이라는 생각에 하루하루가 기대되는 즐거운 나날이었다.

　태어나고 팔 일째 되는 날 예수는 할례를 받았다. 할례를 행하는 제사장은 못마땅한 눈치였지만 그래도 율법에 따라 할례를 해주었다. 이름도 예수라고 등록했다.

　생활은 예수 때문에 그리고 가족들 특히 아이들 덕분에 즐거웠다. 그러나 시간이 지나며 조바심이 조금씩 커졌다. 헤롯왕이 예수를 경배하러 오기를 기다리고 있었지만 그는 아직 오지 않고 있었다. 동방박사들이 헤롯왕에게 예수의 이야기를 전했다면 그는 이미 이곳 베들레헴 빌립의 집에 예수가 있는 것을 알고 있을 것이다. 그렇다면 헤롯왕이 벌써 왔어야 하지 않을까? 문밖에서 평소와 다른 시끌벅적한 소리가 들리면 혹시 왕의 행차가 아닌가 생각하며 문 쪽을 바라보곤 했다.

　"분명 잘 준비해서 오려고 늦어지는 걸 거야."

　내가 안달하고 있으면 요셉은 항상 이렇게 위로의 말을 했다.

　"그렇지? 동방박사들에게 자신도 경배하고 싶다고, 꼭 돌아와서 알려 달라고 부탁했으니까 좀 더 기다리면 오겠지?"

　이제나저제나 하염없이 기다렸지만 헤롯왕은 삼십구 일이 지나도록 찾아오지 않았다. 처음에는 기다리는 즐거움이 있었지만 시간이 지남에 따라 초조함을 지나 실망이 커졌다.

내일은 정결 예식을 위해 예루살렘에 가야 하고 그 후에는 고향으로 돌아갈 예정이다. 혹시 헤롯왕은 우리가 예루살렘에 갈 것을 예상하고 그곳에서 예수를 만나 경배하려는 것은 아닐까? 왕이니까 할 일이 많을 것이다. 어쩌면 바쁜 가운데 시간을 낼 수 없는 사정을 안타까워하고 있을지도 모른다. 예루살렘의 제사장들에게 정결 예식을 위해 오는 사람 중에서 예수를 찾으라고 명령했을지도 모른다.

예수를 낳고 사십 일이 되었다. 주인 부부와 아이들의 환송을 받으며 아침 일찍 집을 나섰다. 주인 부부는 다음에 예루살렘에 올 일이 있으면 꼭 다시 찾아오라고 말했다. 그러겠다고 말은 했지만 요셉은 몰라도 내가 다시 이 부부를 볼 일이 있을지 모르겠다.

예루살렘까지는 별 어려움 없이 갈 수 있었다. 예수를 낳고 이미 사십 일이 지나 몸도 어느 정도 회복됐고 또 예루살렘까지는 그렇게 먼 거리도 아니었다. 정오를 조금 지나 예루살렘에 도착했다. 이른 아침에 흐렸던 날씨는 어느새 구름 한 점 없이 맑게 개었고 해는 하늘 한가운데 높이 떠 있었다.

큰 건물과 돌로 포장된 길 그리고 사람들의 화려한 옷차림이 이곳이 이스라엘에서 제일 큰 도시임을 나타내 주었다. 높게 솟은 거대한 성전이 제일 먼저 눈에 들어왔다. 성전 벽의 하얀 돌이 한낮의 강렬한 태양 빛을 받아 눈부시게 빛나고 있었다. 금으로 된 성전 벽의 장식들이 햇빛에 반짝이며 성전의 웅장함과 아름다움을 자랑하고 있었다. 성전으로 올라가는 길에 혹시 예수를 찾는 사람이 있지 않을까 주위를 둘러보았지만 아무도 우리를 주목하지 않았다.

성전에 도착해 율법에 따라 어린 집비둘기 두 마리를 샀다. 정결 예식을 위해서는 번제를 위해 일 년 된 어린 양, 속죄제를 위해서는 집비둘기 새끼나 산비둘기를 드려야 했다. 그러나 우리에게는 양을 살 돈이 없었다. '동방박사들에게 받은 선물을 팔아서 양을 살까?'라는 생각도 했지만 그냥 있는 돈으로 비둘기를 사기로 했다. 돈이 없으면 비둘기로 대신해도 된다고 들었기 때문에 적어도 율법을 어기는 것은 아니다.

성전에서는 희생제사를 위한 동물들의 기괴한 울음소리 그리고 피비린내와 고기 타는 냄새가 먼저 불쾌하게 다가왔다. 동물들을 죽이고 살을 도려내고 태우는 모습을 보자 토할 것같이 속이 메스꺼워졌다.

정결 예식을 위한 차례를 기다리는데 시므온이라는 사람이 긴 옷자락을 땅에 끌며 우리에게 다가왔다. 들은 말로는 시므온은 의롭고 경건한 사람으로 이스라엘을 구원할 그리스도를 간절히 기다렸다고 한다. 창백한 얼굴의 그가 예수를 보며 말했다.

"그리스도를 보기 전에는 죽지 않을 것이라고 성령님께서 말씀하셨는데 오늘 그 말씀이 이루어지네요."

그가 잠깐 예수를 안아 보아도 되겠느냐고 부탁해서 포대기에 싸여 있는 예수를 조심스럽게 건네주었다.

"주권자이신 주님, 이제는 약속하신 대로 내가 평안히 떠날 수 있게 되었습니다. 내 눈으로 직접 본 주님의 이 구원은 이방인들에게는 주님의 뜻을 보여 주는 빛이며 이스라엘에게는 영광된 것입니다."

"이방인들에게는 주님의 뜻을 보여 주는 빛"이라는 말이 머리를 치고 들어왔다. 혹시 이방인인 동방박사들이 본 별을 말하는 것인가? 그럼 시므온은 동방박사들을 이곳 예루살렘에서 만나지 않았을까? 혹시 헤롯왕이 경배하러 온다는 것에 대해서도 알고 있지 않을까?

"혹시 이스라엘의 왕이 될 아기를 경배하기 위해 동방의 나라에서 온 박사들을 이곳에서 만나지 않으셨나요?"

조급한 마음에 그에게 바로 물어보았다. 시므온은 나를 물끄러미 바라볼 뿐 무슨 말인지 전혀 모르겠다는 표정이었다. 시므온은 나에게 예수를 건네며 이런 말을 덧붙였다.

"이 아기는 하나님이 세우셨습니다. 많은 이스라엘 사람들은 이 아기를 믿지 않아 망하기도 하고 믿어서 구원을 받기도 할 것입니다. 그리고 이 아기는 사람들의 비난 대상이 될 것이며 그때 당신은 마치 예리한 칼에 찔리듯 마음이 아플 것입니다."

헤롯왕이 경배하러 오면 앞으로는 좋은 일만 있을 것이라 생각했는데 이 무슨 뚱딴지같은 소리인가! 그에게 물어보려고 했지만 잠시 생각하는 사이 그는 이미 사라지고 없었다. 예리한 칼에 찔리듯 마음이 아플 것이라는 말이 뇌리에서 사라지지 않았다.

정결 예식의 제사를 드렸다. 그리고 첫 번째 태어난 남자 아기를 하나님께 구별하여 드리는 예식도 행했다. 제사장은 피곤한 얼굴로 예식만을 행한 후 가도 된다고 말했다. 제사장의 표정을 살폈지만 누군가를 찾는 듯한 모습은 아니었다. 헤롯왕이 분명 예루살렘에서 특히 제사장을 통해 예수를 찾을 것이라 생각했는데! 그러나 제사장도 그 누구도 예수를 찾지 않았다. 실망이었다. 할 수 없이 돌이켜 힘없이 발걸음을 옮기기 시작했다.

성전을 막 나오려고 하는데 나이가 아주 많아 보이는 백발의 구부정한 할머니가 우리에게 다가왔다. 주름이 깊게 패인 얼굴이지만 온화한 인상의 여자였다. 요셉이 귓속말로 전에 명절에 왔을 때 이 할머니를 본 적이 있다고 한다. 그녀의 이름은 안나였고 여든네 살이나 되었다고 한다. 그녀는 항상 성전에 있으면서 밤낮으로 금식하고 기도하며 하나님을 섬기는 예언자라고 한다.

할머니는 예수를 보더니 하나님께 감사의 말을 하기 시작했다. 그리고 주위 사람들에게 예수에 관해 이야기했다. 예수가 예언된 메시아라는 말인 것 같았다. 그러나 할머니의 작은 목소리와 빠진 이빨 사이로 새는 발음 때문에 정확히 알아들을 수 없었다. 그래도 할머니의 이야기를 주의 깊게 듣는 사람들이 있었다.

시므온과 안나라는 할머니의 이야기는 어떤 의미인지 정확히 알 수 없었다. 그러나 적어도 이 사람들은 예수가 평범한 아기가 아니라는 것을 알아봤다. 그들이 우리의 이야기를 들었다면 분명 믿었을 것이다. 그들이 천사의 계시를 받았기 때문에 예수를 알아보는지는 알 수 없었다. 그러나 점점 우리의 이야기를 믿어줄 사람이 늘어난다는 것은 기쁜 일이었다.

그러나 언제나 아쉬움이 남는 것은 어쩔 수 없었다. 멀리 떨어진 곳의 잘 모르는 사람들이 아니라, 고향 사람들이 예수가 어떤 존재인지 알아주면 얼마나 좋을까? 아니면 좀 더 높은 지위의 사람이 예수를 알아봐 주면 얼마나 좋을까? 그러면 소문이 나서 믿는 사람들이 더 많아질 텐데. 왜 고향에서 멀리 떨어진 곳의 평범한 사람들만 예수를 알아보는 것일까?

성전을 나와 조금 걷자 언덕에 자리 잡은 헤롯왕의 궁전 앞에 사람들이 모여 웅성거리고 있는 것이 보였다. 사람들이 곧 헤롯왕의 행차가 있을 것이라고 해서 그곳으로 달려갔다. 어쩌면 헤롯왕을 만날 수 있다는 생각에 쉬지 않고 뛰어 갔다.

군인들은 사람들이 다니지 못하게 궁전 앞길을 막고 있었다. 궁전 정문 바로 앞까지 가고 싶었지만 군인들에게 막혀 다가갈 수 없었다.

조금 후 말발굽 소리가 들리더니 마차 한 대가 궁전 문을 빠져나왔다. 두 마리의 하얀 말이 끄는 화려한 장식의 마차는 햇빛에 번쩍였다. 마차가 정문을 지나 잠시 섰고 지위가 높은 듯한 군인이 마차로 다가갔다. 창을 통해 마차 안의 사람과 군인이 대화하고 있었다. 마차 안의 사람은 헤롯왕이 분명했다.

헤롯왕에게 그가 찾는 아기가 여기 있다고 말해야 한다는 생각이 들었다. 마차 쪽으로 다가가려고 했지만 군인들이 창으로 막아 다가갈 수 없었다. 군인들에게 헤롯왕이 예수를 찾고 있다고 말했지만, 그들은 화난 표정으로 나를 거칠게 밀었다. 나는 밀려 뒷걸음질치다가 결국 넘어지고 말았다. 예수는 다행히 다치지 않았지만 놀라서 울기 시작했다. 그사이 마차는 다시 서서히 움직이기 시작했다. 마음이 급했다. 재빠르게 일어나 마차를 향해 소리쳤다.

"당신이 찾는 이스라엘의 왕이 될 아기가 여기 있습니다."

사람들이 의아한 표정으로 나를 쳐다봤다. 또다시 소리쳤지만 내 목소리는 군인들의 외침, 말발굽 소리 그리고 마차의 덜컹거리는 소리에 파묻히고 말았다. 마차는 그렇게 점점 멀어져 갔고 그 모습을 바라보는 내 눈에는 눈물이 고였다.

군인들이 길을 터주자 사람들은 아무 일 없었다는 듯 각자의 길을 가기 시작했다. 요셉과 나만 그곳에 덩그러니 서 있었다. 눈앞에서 헤롯왕을 만날 기회를 놓치고 말았다. 울고 있는 예수를 보자 나도 서러운 눈물이 멈추지 않았다.

요셉이 눈치를 보며 소매를 잡아끌었고 할 수 없이 발걸음을 옮기기 시작했다. 헤롯왕을 향한 아쉬운 마음이 가시지 않았다. 뒤돌아 헤롯왕의 궁전을 다시 바라보았다. 성전과 같이 하얀 돌로 지어진 아름다운 궁전이었다. 어쩌면 '이 궁전에서 살게 되지 않을까?'라는 생각을 한 적이 있었다. 그러나 궁전에서 사는 것은 고사하고 헤롯왕은 예수를 찾지도 않고 그렇게 무심하게 가버렸다.

헤롯왕이 영영 예수를 찾지 않을 수도 있다는 생각이 섬뜩하게 들었다. 그가 찾아와 경배하는 것이 이 고통의 상황을 해결할 수 있는 유일한 희망이었는데! 우리는 궁전으로부터 점점 멀어져 갔고 나의 희망도 조금씩 부서져 갔다.

힘없이 터벅터벅 걸어 예루살렘을 빠져나왔다. 시끌벅적한 도시의 소리가 점점 멀어져 갔고 한낮의 따사로운 햇살이 얼굴에 쏟아졌다. 베들레헴과 갈릴리 쪽으로 가는 길이 갈리는 지점에서 잠시 쉬어 가기로 했다. 먼 곳을 무심히 바라보고 있는 요셉의 눈치를 살피며 조심스럽게 물었다.

"베들레헴에 가서 좀 더 기다려 볼까? 헤롯왕이 그동안은 바빠서 못 왔지만 곧 올지 모르잖아. 조금 전에도 바쁘게 어디 가느라 정신없는 것 봤지? 만약 베들레헴에 찾아왔는데 예수가 없으면 얼마나 상심이 크겠어."

희망과 요구를 뒤섞어 요셉에게 말했다. 간절했기 때문에 작은 지푸라기라도 붙잡고 매달리고 싶었다. 이대로 예수를 안고 나사렛에 돌아가 평생 간음한 여자라는 손가락질 받으며 살 수는 없었다. 요셉이 고개를 돌려 나를 쳐다보며 말했다.

"그것도 방법의 하나가 될 것 같기는 한데……"

미소 띤 얼굴이었지만 요셉의 주저하는 목소리가 벌써 아니라고 말하고 있었다.

"일단 고향에 돌아가는 것이 좋을 것 같아. 헤롯왕이 베들레헴에 갔다가 예수가 없는 것을 알면 물어볼 것이고, 그러면 사람들이 나사렛으로 돌아갔다고 말하겠지. 실망은 하겠지만 분명 시간을 내서 나사렛으로 경배하러 찾아오겠지. 언제 올지도 모르는데 남의 집에서 무작정 기다릴 수는 없잖아."

"그럼, 찾아오는 왕을 바람 맞히자는 거야? 왕의 충성스러운 백성으로서 어떻게 그럴 수 있어!"

나도 모르게 신경질적으로 소리치고 말았다. 요셉이 당황한 얼굴로 무슨 말을 하려고 했지만 입을 열지 못했다.

왕의 백성이 어쩌고는 핑계일 따름이었다. 마음속에서 꿈틀대던 불안한 생각, 헤롯왕이 안 올지 모른다는 걱정이 하필 이 상황에서 요셉에게 폭발해 버리고 말았다. 기대가 없었다면 실망도 없었을 텐데. 헤롯왕을 기다리는 희망이 사라지자 마음이 무너져 내리기 시작했다.

당황한 요셉의 얼굴이 빨갛게 달아올랐다. 요셉에게 미안했다. 요셉도 아마 이 모든 상황 때문에 마음고생이 심할 텐데 나의 감정을 그에게 그냥 쏟아붓고 말았다.

요셉의 말이 맞다. 나에게 직접 약속한 것도 아니고 또 언제 올지도 모르는데 타향의 남의 집에서 무작정 기다릴 수는 없었다. 요셉에게 진심 어린 사과를 했고 그는 나의 흔들리는 마음을 알아주었다.

우리는 다시 고향으로의 긴 여행을 시작했다. 올 때와 마찬가지로 사마리아를 지나는 지름길을 택했다. 올 때와 다른 것은 그때는 둘이었지만 지금은 예수와 함께 셋이 여행한다는 것이다.

나사렛에 가까워지자 가족을 볼 수 있다는 생각에 기뻤으나 다른 한편으로는 가슴이 답답했다. 마을 사람들의 생각은 좀 바뀌었을까? 회당장이 우리 이야기가 사실인지는 태어난 아기를 보면

알 수 있을 테니 두고 보자고 말했었다. 평범해 보이는 예수를
보면 회당장이 돌로 쳐야 한다고 사람들을 선동하지 않을까?

만약 헤롯왕이 찾아와 예수를 경배하면 고향 사람들은 놀라워
하며 당연히 우리의 이야기를 믿을 것이다. 헤롯왕이 베들레헴으
로 가지 않고 나사렛으로 온다면 차라리 잘된 일인지도 모르겠다.

여행이 계속되며 온몸의 뼈마디가 쑤시고 욱신거려서 빨리 걸
을 수가 없었다. 그렇게 천천히 내키지 않는 고향으로의 아픈 발
걸음을 옮겼다.

도망자

5 BC, 갈릴리 나사렛

나사렛에는 저녁에 도착했다. 마을에 들어서자 해는 이미 서쪽 언덕 너머로 사라졌고 초겨울의 저녁은 오싹하게 쌀쌀했다. 세찬 바람이 일으킨 희뿌연 모래가 볼을 때렸고 나뭇가지와 마른 풀덤불이 날아올랐다. 어스름한 가운데서도 익숙한 풍경이 우리를 반겨주었다.

우리 집은 마을 입구 근처에 있어서 집으로 가는 길에 다행히 아무 와도 마주치지 않았다. 우리는 어둠을 틈타 재빠르고 조용하게 집으로 숨어들었다. 문을 열고 들어서자 온 가족이 깜짝 놀랐다.

"네가 아기를…… 어떻게 혼자서……"

품에 안고 있는 예수를 보자 어머니는 말을 잇지 못했다. 우리의 사정을 몰랐던 부모님은 많이 염려하셨다고 한다. 임신한 몸을 고려하더라도 약 이십 일쯤 걸릴 것으로 예상했는데 우리는 두 달 정도 만에 돌아왔다. 아버지가 직접 '베들레헴에 가서 우리를 찾아볼까?' 라는 생각도 하셨다고 한다. 요셉도 자기 가족을 보러 갔다.

어머니는 예수를 안고 가볍게 흔들기도 하고 볼에 입 맞추며 행복해하셨다. 아버지는 한 번 예수를 안아 보시고 빙그레 웃으시더니 이내 어머니에게 다시 건네주셨다. 동생들도 예수를 신기하게 바라봤다.

쉬기 위해 잠시 누웠는데 깜빡 잠들고 말았다. 아비가일이 깨워 저녁을 먹기 위해 일어났다. 오랜만에 먹는 어머니의 음식이 맛있어 허겁지겁 먹었다.

저녁을 먹은 후 그간의 사정을 자세히 말씀드렸다. 베들레헴에 도착해 한동안 묵을 곳을 찾지 못했다고 하자 어머니의 표정이 싸늘해졌다.

"만삭인 여자에게 어떻게 그렇게 매정할 수가 있어?"

아버지는 표정 없이 묵묵히 듣고 만 계셨다. 그 후 빌립의 집에 묵을 수 있었고 그날 밤 무사히 예수를 낳았다고 하자 두 분은 안도의 숨을 쉬셨다. 목동과 동방박사 그리고 성전에서 만난 시므온과 안나라는 할머니의 이야기를 하자 부모님은 입을 다물지 못하셨다.

"예수에 관한 이야기를 천사에게 들은 사람이 너희 둘만은 아니구나."

"동방박사들이 예수를 위해 선물도 주었어요."

벽에 기대어 놓은 가방을 가리키자 동생 시몬이 가지고 왔다. 아버지가 상자를 열어 보시고는 깜짝 놀라며 나를 쳐다봤다.

"황금과 유향 그리고 몰약이에요."

처음 보는 귀중한 물건에 모두 눈이 휘둥그레졌다.

"더 놀랄 일이 있어요. 동방박사들이 헤롯왕을 만났을 때, 그가 이스라엘의 왕이 될 아기에게 자기도 경배하고 싶다고 말했었데요. 박사들이 자기 나라로 돌아가는 길에 예루살렘에 들러 헤롯왕에게 아기에 관해 알려 주었을 겁니다."

"그래서 헤롯왕이 베들레헴에 찾아왔어?"

"베들레헴에 있는 동안에는 안 왔지만, 아마 바빠서 못 왔을 거예요. 나중에 시간이 되면 이곳으로 경배하러 오겠지요."

순간 아버지의 얼굴이 차갑게 굳어졌다.

"무슨 걱정되는 일이라도 있으세요?"

"헤롯왕이 포악하고 잔인하다고 알려져 있어서……"

아버지는 무슨 말을 더 하려다가 내 얼굴을 보더니 그만두셨다. 침묵이 어색한 분위기를 만들어 내가 화제를 돌려 아버지에게 물었다.

"요즘 마을은 어때요? 혹시 저에 대해 사람들의 생각이 바뀌지는 않았나요?"

마을 사람들에게 천사가 찾아와 우리의 이야기를 전해주거나 혹은 어떤 기적이라도 일어나 사람들의 생각이 바뀌었는지 궁금했다.

"똑같아."

먼 마을의 목동과 다른 나라의 이방인에게는 천사가 나타나 예수에 대해 말해 주었지만, 정작 고향에서는 아무 일도 일어나지 않았다. 왜 하나님께서는 먼 곳에 사는 나와 상관없는 사람들에게만 예수가 어떤 존재인지 말해 주시는 걸까?

이 마을에서 나는 여전히 간음한 여자였다. 사람들의 손가락질 그리고 돌 맞아 죽을지 모르는 걱정을 하며 어떻게 계속 살아가야 할지 막막했다. 혹시 헤롯왕이 예수를 경배하기 위해 온다면 상황이 바뀔 수도 있겠지만, 그가 정말로 올지 알 수 없었다. 그는 우리가 베들레헴에 있을 때도 오지 않았다. 그런데 그가 먼 나사렛까지 올까?

이런저런 이야기를 더 한 후에 잠자리에 누웠다. 몸은 너무 피곤했지만 잠은 쉽게 오지 않았다. 변하지 않은 사람들과 계속 간음한 여자라는 누명을 쓰고 살아야 하다니!

어머니가 깨워 일어났다. 온몸이 욱신거리고 눈꺼풀이 무거워 겨우 눈을 떴다. 요셉이 집에 와 있었다. 그는 무엇인가에 쫓기는 듯 나와 예수 그리고 우리 가족을 불안한 눈빛으로 쳐다봤다. 요셉이 아버지를 보며 입을 열었다.

"조금 전에 천사가 찾아와 말을 전했습니다."

"천사? 무슨 말?"

천사라는 말이 몽롱한 가운데서도 또렷하게 들렸다. 요셉의 초점 잃은 눈동자는 떨리고 있었다. 내가 재촉하는 눈빛으로 그를 쳐다보자 요셉이 말을 계속했다.

"천사가…… 헤롯이 아기를 찾아 죽이려고 하니 아기와 마리아를 데리고 오늘 밤에 이집트로 도망가라고 했습니다. 그리고 다시 말할 때까지 그곳에 머물러 있으라고도 말했고요."

아기를 죽인다는 말이 비수가 되어 가슴을 찔렀다. 모두 깜짝 놀란 얼굴이었다. 헤롯왕이 예수를 경배하러 온다는 것을 혹시 요셉이 잘못 알아들은 것은 아닐까?

"헤롯왕이 아기를 경배하러 오는 것이 아니라 오히려 죽이러 온다고? 정말?"

요셉의 미안한 표정을 통해 그가 사실을 말하는 것 같았지만 나는 믿을 수 없었다.

"그리고 오늘 밤에 피신하라고 했다고? 그것도 이집트로?"

요셉에게 다시 물었지만 그의 대답은 마찬가지였다. 아버지와 어머니도 넋 나간 표정이었다. 갑자기 눈물이 핑 돌았다. 희망을 품고 헤롯왕을 기다렸는데 그가 오히려 예수를 죽이기 위해 오고 있다니!

"우리 도착한 지 하루는커녕 몇 시간도 지나지 않았어. 아직도 온몸이 쑤시고 아픈데 어떻게 또다시 집을 떠나?"

울음 섞인 목소리로 요셉에게 쏘아붙였다. 솔직히 정말 다시 여행할 수 있을지 모르겠다. 마치 물에 젖은 옷이 몸에 들러붙어 감싸듯이 피로가 온몸 구석구석에 퍼져 아프지 않은 곳이 없었다.

더 이상 걸을 수 없을 것 같았고 계속 여행할 자신이 없었다. 또 언어와 풍습이 다르고 연고도 없는 먼 이방의 나라에서 어떻게 살라는 말인가!

"미안해. 그런데 천사가 정말 그렇게 말했어. 오늘 밤에 이집트로 떠나라고."

요셉이 나의 손을 잡으며 간절한 눈빛으로 말했다.

"기다려도 오지 않던 헤롯왕이 갑자기 오늘 밤에 왜 와!"

그의 손을 차갑게 뿌리치며 냉정하게 소리쳤다. 얼굴이 벌게진 요셉이 어쩔 줄 몰라 했다. 그의 푸석푸석한 얼굴과 퀭한 눈이 지금 얼마나 지치고 피곤한 상태인지 말해주고 있었다. 그런데 이렇게 말하는 것을 보면 그의 말이 사실인 것 같다.

어떻게 해야 하나? 헤롯왕이 진짜 예수를 죽이기 위해 온다면? 몸은 두들겨 맞은 것같이 아프지만 예수를 위해서라면 빨리 떠나야 했다. 피곤하다고 내 몸 걱정만 하고 있을 수는 없었다.

순간 '혹시 요셉이 다른 마을에 가서 나랑 예수와 살기 위한 핑계를 대기 위해 이런 거짓말을 하는 것은 아닐까?' 라는 생각이 들었다. 요셉도 자기 가족과 이야기하고 아직도 바뀌지 않은 마을의 분위기를 알고 있을 것이다. 그래서 내가 간음한 여자라는 비난을 듣지 않을 다른 곳에서 살기 위해 이런 거짓말을 하는 것은 아닐까? 그렇지만 이스라엘 땅도 아닌 이집트로 가라고 했다는 것은 거짓말이라고 하기에는 거리가 너무 멀었다. 이집트로 가면 다시는 가족을 못 볼지도 모른다.

요셉이 거짓말을 하는 것이라도 상관없다. 이 마을에서 간음한 여자라고 욕먹고 오해받으며 사는 것보다는 차라리 다른 나라에 가서 당분간 사는 것도 나쁜 생각은 아닌 것 같다.

"헤롯왕이 왕위를 지키기 위해 아내와 아들들까지 죽였다는 이야기 들어보지 못하셨나요? 그런 사람이니까 이스라엘의 왕이 될 아기라는 말을 듣고 예수를 죽이려는 것이겠지요."

요셉이 물었고 아버지는 들어봤다고 고개를 끄덕이셨다.

헤롯왕이 그렇게 잔인한 짓까지 했다니! 처음 듣는 이야기다. 아버지는 이 사실을 알았고 그래서 어제 헤롯왕이 경배하러 올 것이라는 말을 듣고 걱정하셨던 이유일 것이다. 요셉도 마찬가지로 내가 헤롯왕이 경배하러 올 기대에 들떠 말할 때도 가볍게 맞장구는 쳤지만 나처럼 기뻐하지는 않았다. 그 이유를 이제야 알 것 같다.

요셉은 왜 내게 헤롯왕이 어떤 사람인지 처음부터 말하지 않았을까? 헤롯왕을 기다리며 혼자만 즐거운 상상의 나래를 펼쳤다는 사실이 너무 창피했다. 그러나 다시 생각해 보면 그렇게 행복해하는 나에게, 헤롯왕이 예수를 경배하러 오면 모든 문제가 해결될 것이라는 희망을 안고 있는 나에게, 그가 뭐라고 말할 수 있었을까? 요셉이 원망스러웠지만 한편으로는 고마웠다.

이집트로 여행 갈 준비를 시작했다. 어머니의 얼굴에서는 눈물이 멈추지 않았지만 그래도 먹을 것 등 여행에 필요한 것들을 준비해 주셨다.

"천사가 다시 돌아올 거라고 분명히 말했지? 다시 돌아오는 거지?"

어머니는 다짐하듯이 몇 번이나 요셉에게 같은 질문을 하셨다.

"네, 분명히 그렇게 말했습니다. 꼭 다시 돌아올 겁니다. 걱정하지 마세요."

요셉은 자신 있게 대답했지만 정말 다시 돌아올 수 있을까? 적어도 헤롯왕이 살아 있는 동안에 돌아오는 것은 불가능할 것이다.

요셉도 다시 자기 집에 가서 여행에 필요한 것들을 챙겨 돌아왔다. 그의 어머니는 이집트로 가는 것을 결사반대 하셨다고 한다. 아버지가 돌아가시고 요셉은 장남으로서 그 집의 가장 역할을 하고 있었다. 그런데 언제 돌아올지 모르는 길을 가겠다고 하는데, 어느 어머니가 쉽게 허락하실 수 있을까!

또다시 이집트로의 먼 여행을 시작했다. 사방은 어두웠고 사나운 비바람이 부는 추운 새벽이었다. 머리가 비에 젖지 않도록 겉옷을 머리까지 두르고 진창이 된 땅을 미끄러지지 않게 조심스럽게 걸었다. 예수를 싼 포대기를 겉옷으로 덮고 비에 젖지 않도록 팔로 꼭 안았다. 조금 지나자 겉옷은 이미 비에 완전히 젖었고 옷 속까지 물기가 전해졌다. 젖은 몸 때문에 겨울의 한기가 더 깊게 파고들었고 몸이 덜덜 떨렸다.

아버지와 어머니는 마을 밖까지 배웅하러 나오셨다. 아버지로부터 짐을 받아 들고 작별 인사를 했다. 어머니는 조심해서 가라며 이것저것 당부의 말씀을 하시면서 계속 우셨다. 아버지는 겉옷으로 머리를 가릴 생각도 않고 몰아치는 비를 그냥 맞고 계셨다. 어두운 가운데서도 아버지의 얼굴에 비가 내리치며 빗물이 볼을

타고 흐르는 것을 볼 수 있었다. 아니면 내가 본 것이 아버지의
눈물인가?

그렇게 작별 인사를 하고 우리는 도망치듯 조용히 고향 마을을
빠져나왔다. 마을은 아직 고요히 잠들어 있었고 우리가 떠나는
것을 알지 못했다.

타향살이

4 BC, 이집트 라피아

이집트의 라피아라는 도시에 온 지도 벌써 한 달 정도 지났다. 이곳까지 여행하고 정착하며 시간은 빠르게 지나갔다.

집을 나선 후 우리는 어느 길로 가야 할지 몰랐다. 이집트는 요셉도 나도 한 번도 가 본 적이 없는 곳이기 때문이었다. 일단 익숙한 예루살렘을 지나는 길이 아닌 바다 쪽 길로 가기로 했다. 요셉이 바다 쪽 길은 상인들이 많이 다니는 길이라 길도 좋고 또 거리도 더 짧다고 들었다고 한다. 더 중요한 이유는 헤롯왕의 군대와 마주칠 가능성이 있기 때문에 예루살렘으로 가는 길은 피할 수밖에 없었다.

바다를 향해 나흘을 걸은 후 우리는 바닷가에 있는 한 마을에 도착했다. 이집트로 가려면 바닷가를 따라 나 있는 큰길을 따라

가기만 하면 되었다.

그 도시에서 진짜 바다를 처음 봤다. 갈릴리 호수를 처음 봤을 때 그 크기에 놀랐던 기억이 났다. 그러나 진짜 바다를 보고 나니, 왜 사람들이 갈릴리 호수를 바다라고 부르는지 웃음이 났다. 진짜 바다는 갈릴리 호수와는 비교도 할 수 없이 넓고 컸고, 끝이 보이지 않는 물의 세계였다.

구름 사이로 드러난 붉은 노을은 반짝이는 바다와 어울리며 세상을 아름답게 수놓았다. 살며시 눈을 감고 불어오는 바닷바람에 몸을 맡기며 낯선 곳의 새로움에 빠져들었다. 소금기 섞인 바람이 전해주는 비릿한 냄새가 내가 전혀 다른 세상에 서 있음을 알려 주었다.

그 마을에서 이틀을 푹 쉬며 기운을 차린 후 우리는 이집트를 향해 다시 천천히 걷기 시작했다. 도중에 가이사랴라는 큰 도시에서 하루를 머물게 되었다. 헤롯왕이 로마를 위해 건설했다고 알려진 이 도시는 분위기가 다른 조그만 도시들과 전혀 달랐다. 로마의 신전과 극장 그리고 원형 경기장이 있었고, 넓은 가도의 양쪽에는 돌로 된 큰 건물들이 화려하게 줄지어 서 있었다.

이집트로 가는 길은 비교적 넓고 평탄해서 걷기에 좋았다. 형형색색의 화물을 가득 실은 수레 그리고 낙타와 말의 무리가 지나가는 것을 보는 것도 여행 중의 즐거움이었다. 수십 마리나 되는 말과 낙타가 흙먼지를 날리며 줄지어 지나가는 경우도 있었다.

집을 떠난 지 약 이십 일 정도 후에 라피아에 도착했다. 날씨는 나사렛보다 따뜻해서 겨울이지만 별로 춥지 않았다. 이스라엘과 경계에 있는 이집트의 국경도시인 라피아는 큰 도시였고 낯선 나라로 통하는 관문이었다. 이스라엘, 시리아 그리고 그 너머의 나라들과 교역을 위해 오가는 상인들로 도시는 항상 붐볐다.

라피아에는 돌로 지은 큰 건물이 많았고 그 크기와 화려함이 예루살렘을 능가했다. 도시 중앙에는 큰 시장이 있었고, 상인들이 외치는 소리 그리고 짐을 싣고 온 말이나 낙타의 울음소리로 항상 시끌벅적했다. 길을 걷기도 힘들 정도로 사람들이 많았지만 때로는 그곳의 활기찬 모습이 정겹게 다가왔다.

상업의 도시답게 사람들은 대부분 헬라어를 할 줄 알았다. 요셉이 헬라어를 할 줄 알아서 사람들과 대화에 큰 어려움은 없었다. 이스라엘과 접한 국경도시여서 라피아에는 유대인이 많이 살고 있었다. 이국의 도시였지만 유대적인 분위기도 있어서 도시가 낯설지만은 않았다.

처음에는 예수의 안전을 위해 이집트의 더 안쪽 지방까지 갈 생각이었다. 이 도시에서 며칠 쉬며 알아보고 어디로 갈지 결정할 예정이었다. 그러나 그사이 이 도시가 마음에 들어 결국 정착하게 되었다. 예루살렘에서 멀리 떨어진 이집트의 도시이기 때문에 헤롯왕이 알 수 없을 것이라 생각하며 걱정을 떨쳐냈다. 만약을 대비해 우리는 다른 이름을 사용하였고 고향도 다른 마을 출신이라고 사람들에게 말했다.

라피아에 도착해서 묵은 집의 남자가 도와줘서 집도 구하고 잘 정착할 수 있었다. 박사들에게 받은 선물이 정착하는데 도움이 됐다. 요셉은 그 남자의 소개로 목수 일을 시작할 수 있었다. 마침 유대인 중에 목수 일을 하는 사람이 있어서 그 사람을 도와 일을 시작했다. 예수도 특별히 아픈 곳 없이 건강하게 무럭무럭 잘 자랐다.

나는 말이 안 통해 당황스러운 때도 있었지만 비교적 안정된 삶이었다. 오히려 이곳의 삶이 나사렛에서 보다 평안했다. 적어도 나를 간음한 여자라고 모욕하는 사람은 없다. 우리는 그렇게 크고 낯선 타국의 도시에 조금씩 적응해 갔다.

한 달 정도 지났을 때 헤롯왕이 베들레헴과 그 근방의 두 살 아래 남자 아기를 모두 죽였다는 소문이 돌았다. 그 이유가 유대인의 왕이 될 아기를 죽이기 위해서라는 말을 들었을 때는 숨이 멎는 것 같았다.

소문을 들은 날 밤, 잠을 이룰 수 없었다. 새벽까지 뒤척이다가 동이 트기 시작하는 것을 보며 가까스로 잠이 들었다. 그러나 꿈 때문에 곧 다시 깼고 꿈의 내용은 공포 그 자체였다.

꿈속에서 헤롯의 군인들은 아기를 찾기 위해 집마다 문을 박차고 들어가 집 안을 뒤졌다. 아기를 뺏기지 않으려고 비명을 지르며 처절하게 몸부림치는 어머니, 아기를 안고 허겁지겁 도망가는 아버지, 결국은 군인들에게 잡혀 아기가 죽어가는 모습을 바라보며 울부짖는 부모. 베들레헴의 피비린내가 꿈속에서도 진하게 느껴져 속이 불편했다.

우리가 신세 졌던 빌립의 집에도 군인들이 들이닥쳤다. 그의 아내가 겁에 질린 얼굴로 부들부들 떨며 막내를 안고 있었고 그 앞에 빌립이 군인들을 막고 서 있었다. 그가 군인들을 한쪽으로 밀치자 그의 아내는 아기를 안고 집 밖으로 달아났다. 군인들이 빌립을 마구 때리기 시작했고 그의 얼굴에 피가 낭자하게 흘렀다.

밖으로 달아난 빌립의 아내는 곧 다른 군인들에게 붙잡히고 말았다. 그의 아내는 필사적으로 아기를 뺏기지 않으려고 몸부림쳤지만, 그녀가 군인의 힘을 이길 수는 없었다. 군인이 칼을 높이 들고 아기를 내리치려는 순간 아내의 외마디 절규가 퍼졌고 공포의 서늘한 기운에 잠이 깼다.

아침의 따사로운 햇살이 살짝 열린 창 사이로 들어왔지만 옷은 젖어 있었다. 어떻게 이스라엘 땅에서 이런 일이 발생할 수 있단 말인가, 그것도 왕이라는 사람이!

헤롯왕이 베들레헴의 아기를 죽였다는 말을 듣고 요셉과 나는 걱정에 휩싸였다. 혹시 헤롯왕이 이곳까지 군인이나 암살자를 보내지 않을까? 이곳을 떠나 이집트의 더 안쪽 지방으로 도망가야 하나? 그러나 헤롯이 예수를 죽이려고 작정하면 어느 곳에 가든지 완전히 안전한 곳은 없을 것이다. 아니면 헤롯은 왕이 될 아기를 이미 죽였다고 생각하며 안심하고 있지 않을까?

요셉과 여러 가능성에 관해 이야기를 나누었지만 결론은 나지 않았다. 예수의 안전을 위해서라면 어디든 갈 수 있다. 그러나 많은 돈을 들여 이제 막 정착한 이 도시를 다시 떠나기도 쉽지 않았다. 결국, 이곳에 있으면서 이스라엘에서 들려오는 소식에 계속 귀를 기울이기로 했다.

평범한 일상이 지속됐지만 불안한 마음을 완전히 떨쳐 버릴 수는 없었다. 헤롯왕이 예수를 찾아 죽이려 할지 모른다는 생각은 근본적으로 해결될 수 있는 문제가 아니었다. 이런 불안감은 칼에 베인 손끝의 상처에서 느껴지는 아스라한 아픔 같이 우리를 교묘하게 괴롭혔다.

하루는 요셉이 숨을 헐떡이며 집으로 뛰어 들어왔다.
"우리 빨리 도망가야 해. 어떤 남자가 너와 예수를 찾고 있어."
요셉은 숨을 몰아쉬며 간신히 말했다. 순간 머리카락이 쭈뼛 섰다. 요셉에게 자세한 것을 물어보지도 않고 바로 떠날 준비를 시작했다. 이런 일이 일어날지 모른다는 것을 알았기 때문에 물어볼 필요도 없었고 시간을 지체할 수도 없었다.

간단한 옷가지와 박사들에게 받은 선물을 챙기고 있는데 문 두드리는 소리가 났다. 요셉과 나는 그 자리에 얼어붙은 듯 서고 말았다. 온몸이 떨리고 식은땀이 흐르기 시작했다. 죽음이 소리 없이 다가와 예수의 목 끝에 칼을 들이대고 있었다. 어떻게 해야 하나? 어떤 일이 있더라도 예수는 살려야 하는데, 비록 내가 죽는 한이 있더라도.

이 집에 문은 하나밖에 없고 하나뿐인 창문은 문과 같은 벽에 있었다. 문 앞에 서 있으면 창문이 보였다. 그리고 아기를 안고 창문으로 재빠르게 도망칠 수도 없는 노릇이었다. 문밖의 사람을 피해 도망갈 방법은 없었다. 집에 사람이 없는 것처럼 보이기 위해 숨죽이고 조용히 있었다. 집에 아무도 없다고 생각하면 오늘은 일단 돌아가지 않을까?

또다시 문 두드리는 소리가 났다. 예수가 깨지 않을까 걱정했으나 다행히 예수는 조용히 잠들어 있었다. 요셉이 살금살금 창문으로 걸어가 조금 열린 창틈으로 문 쪽을 살폈다. 그가 문 앞에는 한 사람뿐이고 무기는 가지고 있지 않은 것 같다고 속삭였다. 그러나 품속에 칼을 숨기고 있는지 알 수 없었다. 나도 창틈으로 살며시 그 사람을 봤다. 나이는 요셉과 비슷한 또래로 보였고 옆모습을 통해서는 살의가 느껴지지 않았다.

요셉은 예수를 죽이러 온 사람은 아닌 것 같아 문을 열어 보겠다고 말했다. 순간 그의 손을 잡았다. 단순히 겉모습만 보고서 문 밖의 사람을 판단할 수는 없었다. 만약 그가 진짜 암살자라면?

그러나 문 여는 것 말고는 다른 선택이 없었다. 만약 그가 암살자라면 우리가 지금 집에 없다고 생각할지라도 집 근처에 숨어 계속 기다릴 것이다. 감시의 눈초리는 절대 사라지지 않을 것이다. 그렇다면 사람의 왕래가 적은 밤보다는 차라리 낮에 그 사람과 맞닥뜨리는 것이 나을 것 같았다.

요셉이 조심스럽게 문을 열고 나간 뒤 바로 문을 닫고 잠금쇠를 걸었다. 그들의 대화가 어렴풋이 들리더니 조금 지나 요셉이 문을 열어도 괜찮다고 큰 소리로 말했다. 문을 열자 요셉이 그 사람을 데리고 집 안으로 들어왔다.

"죄송합니다, 번거롭게 해서. 아내와 아들을 찾고 있는데 어떤 사람이 이 집에 이스라엘에서 얼마 전에 온 젊은 여자와 아기가 있다고 해서……"

이 남자는 예수와 나를 찾는 것이 아니라 집 나간 자신의 아내와 아기를 찾고 있었다.

그는 유대 지방에 사는 사람이었다. 결혼해서 아기도 낳고 잘살고 있었는데, 어떤 사람에게 아기가 이 남자를 닮지 않은 것 같다는 말을 듣고 나서부터 문제가 생기기 시작했다. 몇몇 사람들이 이 남자가 아기의 아버지가 아닌 것 같다고 농담 반 진담 반으로 말하자 남자는 아내를 의심하고 다그쳤다. 물론 그의 아내는 결백하다고 말했다. 그러나 소문이 이상한 방향으로 흘러 마을 사람들이 간음한 여자라고 수군거리기 시작했고, 집에서도 분위기가 험악해지자 결국 아내가 아기를 데리고 밤에 도망쳤다. 그래서 이 남자는 지금 아내와 아기를 찾는 중이었다.

"지금은 아내를 믿으시나요?"

내 목소리는 거칠고 퉁명스러웠다.

"아내가 집을 나가고 나서 깨달았습니다. 내가 사람들의 말에 휘둘려 아내를 의심했다는 것을. 저라도 아내의 편이 되어 그녀와 아기를 지켜 주었어야 했는데. 제가 바보였습니다."

남자가 눈물을 흘리기 시작했다. 이스라엘 땅에서 여자로 산다는 것이 얼마나 힘든 일인지 또 알 수 있었다. 아기를 안고 한밤중에 도망쳐야 했던 여자의 마음이 느껴졌다. 자신을 믿지 않고 자신과 아기를 지켜주지 않는 남편을 보며 얼마나 서럽고 괴로웠을까? 그 남자는 다시 한번 미안하다는 말을 남기고 갔다. 그 남자가 아내와 아기를 찾아 다시 행복하게 살았으면 좋겠다.

그 남자와의 일이 어이없던 사건으로 기억될 때쯤 헤롯왕이 죽었다는 소식이 들렸다. 드디어 예수를 죽이려고 하는 헤롯왕이 죽었다. 한 사람의 죽음을 이렇게 기뻐했던 적이 있던가? 그렇게 가슴을 쓸어내리며 안도하고 있는데, 그 다음 날 요셉이 지난밤에 천사가 나타났다고 말했다.

"헤롯이 죽었으니까 이스라엘 땅으로 돌아가래."

드디어 고향에 돌아갈 수 있게 되었다. 헤롯왕이 살아있는 동안에는 고향에 돌아갈 수 없을 것이고, 그래서 이집트에서 오래 살 것이라 생각했었다. 그러나 헤롯왕이 갑자기 죽으면서 약 육 개월 정도 만에 다시 고향에 돌아갈 수 있게 되었다.

"우리…… 고향으로 돌아가야겠지?"

요셉이 나의 표정을 조심스럽게 살피며 물었다. 천사가 돌아가라고 말했는데 지금 요셉은 나에게 고향으로 돌아갈지를 묻고 있다. 하나님의 명령을 어기는 것이 될 수 있는데 왜 이렇게 물어보지? 순간 깨달았다. 그는 나를 걱정하고 있었다. 나사렛 고향 사람들은 아직도 나를 간음한 여자라고 생각할 것이고 그 생각은 앞으로도 바뀌지 않을 것이다.

고향에 돌아가 앞으로 살아갈 일은 걱정이었다. 이스라엘 땅에서 간음한 여자라는 말을 들으며 산다는 것이 어떤 의미인지 잘 알기 때문이다. 사람들은 간음한 여자를 인간 취급 안 했고 회당에도 갈 수 없었다. 바리새인이나 서기관들은 무슨 더러운 벌레 보듯이 피하며 말도 같이 섞으려 하지 않았다. 그들에게 간음한 여자는 죄인일 뿐이다.

반대로 이 도시에서의 삶은 고향이 그립다는 것 말고는 별 어려움이 없었다. 요셉이 목수 일을 해서 먹고사는 것도 전혀 문제없었다. 사람들은 친절했고 무엇보다 나를 간음한 여자라고 손가락질하는 사람이 이곳에는 없다. 이 도시에서 나는 요셉의 아내이고 예수의 어머니일 뿐이다. 그런데 하나님께서는 치욕의 땅으로 돌아가라고 명령하셨다.

　돌아가기로 결정했다. 하나님의 명령을 어기고 이집트에 계속 있을 수는 없었다. 친하게 지내던 이웃들은 왜 갑자기 떠나느냐고 아쉬워했고 다시 돌아올 것이냐고 물었다. 기회가 되면 다시 올 것이라고 말했지만 도망오는 것이 아니라면 또다시 이 도시를 찾을 일은 없을 것이다.

　떠나는 날 아침 몇몇 사람들은 우리를 배웅하기 위해 도시 입구까지 나왔다. 길지 않은 기간이었지만 이곳 사람들과 이미 깊은 정이 들어 있었다. 우리는 다시 이스라엘 땅으로 돌아가게 되었다. 희망과 약속의 땅이 아닌 치욕과 고난의 땅으로!

대학살

4 BC, 유대, 갈릴리 나사렛

"생각해 보니까…… 천사가 고향 나사렛으로 가라고 말하지는 않았던 것 같아. 그냥 이스라엘 땅으로 돌아가라고만 했지."

이집트를 출발하고 하루 지난 후에 요셉이 이런 말을 했다.

"그게 무슨 소리야? 그럼…… 이스라엘 땅이면 우리가 원하는 곳 어디 가서 살아도 된다는 말이야?"

"그런 것 같아. 나사렛이나 고향이라는 말은 하지 않았어."

떠날 준비를 하면서도 고향으로 돌아간다는 기쁨이 없었다. 계속 풀 죽은 모습의 나를 지켜보며 요셉이 천사와의 대화를 다시 생각해 본 것 같다.

"어디로 가면 좋을까?"

요셉이 물었지만 나도 어디로 가야 할지 몰랐다. 왜 하나님께서는 어디 가서 살라고 정확히 말씀해 주시지 않고 이스라엘 땅이라고만 말씀하셨을까? 어려운 결정이었다. 어쩌면 평생 살아야 하는 마을을 선택하는 문제가 될지도 모른다.

"고향 나사렛에서는 멀리 떨어진 곳이 좋을 것 같아."

요셉이 이렇게 말했고 나도 공감했다. 우리는 간음한 여자라는 말을 들을 가능성이 없는 곳, 고향으로부터 소문이 퍼져도 알려지지 않을 만큼 먼 곳으로 가야 했다. 우리가 아는 여러 지방과 마을에 관해 이야기해 봤지만 어디로 갈지 결정할 수 없었다.

고민 끝에 갈릴리 지방으로는 가지 않기로 했다. 갈릴리는 어느 마을이든지 나사렛에서 충분히 멀지 않았다. 그래서 유대 지방으로 가기로 했다. 어느 마을에 정착할지는 여러 마을을 다녀보고 정하기로 했다.

유대 지방의 마을들을 살피며 여행했다. 지나가는 마을의 사람들과 이야기하며 정보도 수집하고 살기가 괜찮을지 여러모로 알아보았다. 풍광은 익숙했다. 고향은 아니지만 익숙한 말과 사람들 그리고 문화라는 것이 마음을 편하게 했다.

어느 날 유대의 한 마을에서 하룻밤 묵게 되었다. 밖에 나갔다가 돌아온 요셉이 할 말이 있다고 나를 집 밖으로 불러냈다. 요셉이 어두워지기 시작한 주위를 살피더니 긴장한 목소리로 말했다.

"헤롯왕의 아들인 아켈라오가 유대 지방의 왕이 되었는데."

이해가 안 됐다. 이것은 요셉이 해준 이야기와 달랐다.

"헤롯왕의 아들들은 왕이 안 될 것이라고 말하지 않았어? 로마가 왕을 없애고 직접 통치하든지, 아니면 헤롯의 가문은 정통 유대인이 아니기 때문에 사람들이 좋아할 다른 유력한 유대인을 로마가 왕으로 세울 것이라고 말했잖아?"

"사람들은 그렇게 말하곤 했지만, 누가 알겠어! 헤롯 가문과 로마 사이에 어떤 거래가 있었는지. 그의 아들 중 한 명인 아켈라오가 유대 지방의 왕이 되었고, 갈릴리나 다른 지방은 그의 다른 아들들이 왕이 되었는데."

요셉의 얼굴은 상기되어 있었다. 헤롯의 아들이 왕이 되었다면 혹시? 내 마음속에 자리 잡은 걱정을 요셉이 대신 말해 주었다.

"헤롯의 아들인 아켈라오가 예수를 죽이려고 할지 몰라."

예수를 죽인다는 말이 한동안 평안을 누리던 가슴을 아프게 찌르며 들어왔다.

"헤롯이 죽으면서 예수를 죽이지 않으면 네 왕위가 위험하다고 아들에게 유언을 남겼을지도 몰라. 아켈라오도 그의 아버지 못지않게 잔인하다고 알려진 인물이라서."

헤롯왕이 죽어서 천사의 명령으로 이스라엘 땅으로 돌아왔다. 그런데 또다시 지금의 왕이 예수를 죽이려고 할지 모른다는 걱정을 해야 하다니!

하나님께서는 왜 우리가 계속 이집트에서 살도록 하지 않으셨을까? 그곳에서는 예수의 죽음을 염려 안 해도 되었고 생활도 안정되었다. 적어도 예수가 자라 성인이 될 때까지 이집트에서 살게 하셨으면 좋았을 텐데. 이제는 헤롯의 아들인 아켈라오가 예수를 죽이지 않을까 두려워해야 하는 신세가 되었다.

우리는 어떻게 해야 할지 어디로 가야 할지 알 수 없었다. 우리를 묵게 해준 집으로 들어가자 우리의 안색을 보고 집주인이 걱정스러운 얼굴로 물었다. 아무 일 없다고 말하며 억지웃음을 보여주었다. 그러나 예수를 죽이려 할지 모른다는 말이 머릿속을 끊임없이 맴돌며 괴롭혔다.

다음 날 아침 일어나자 요셉이 또다시 나를 불러냈다. 아직 잠자고 있는 예수를 확인하고 밖으로 나왔다.

"어젯밤에 또 천사가 나타나서 말했는데…… 나사렛으로 가래."

"나사렛? 천사가 정말 그렇게 말했어?"

"나도 이해할 수 없어서 다시 물어보았는데 나사렛으로 가래."

나사렛, 치욕의 땅! 간음한 여자가 될 수밖에 없는 고향으로 돌아가라고 하나님께서 명령하셨다. 갈릴리도 헤롯의 아들이 왕이 됐다고 하는데 하나님께서는 나사렛으로 가라고 명령하셨다.

나사렛에서 나는 열다섯 살 소녀가 아니라 간음한 여자가 될 뿐인데. 그곳은 죄인의 멍에를 지고 살아야 하는 저주의 땅인데. 그런데 왜 하필 나사렛인가!

우리는 나사렛으로 방향을 잡고 걷기 시작했다. 고향으로 간다는 즐거움도 없이 무거운 발걸음을 옮겼다.

나사렛에 도착한 것은 늦은 저녁이었다. 달빛에 어렴풋이 비친 마을의 모습은 변함없었지만 낯설게 다가왔다. 해가 진 후 도착하도록 마지막 날은 쉬엄쉬엄 천천히 걸었다. 함께 살아가야 하는 사람들이지만 그들과 마주치기 전에 일단 분위기를 먼저 알고 싶었다. 집들은 대부분 불이 꺼져 잠들어 있었다.

우리 집은 아직도 희미한 불빛이 창틈으로 새어 나오고 있었다. 문을 열고 들어서자 가족들은 깜짝 놀랐다. 요셉도 부모님에게 간단히 인사를 하고 자기 집으로 갔다.

약 반년 정도 만에 집으로 돌아왔다. 집 안을 둘러보았지만 바뀐 것 없이 그대로였다. 그 익숙한 모습에 마음이 편했고 집에 돌아왔음을 느끼게 해주었다.

"다시는 못 보는 줄 알았다. 예수도 많이 컸네!"

어머니는 재회의 기쁨에 눈가가 촉촉이 젖어 있었다. 돌아올 것이라는 말은 천사에게 들었지만 우리는 언제 돌아올지 기약도 없이 이집트로 떠났었다. 그런데 나를 보자 죽었다가 살아 돌아온 딸을 다시 보는 것 같다고 하셨다.

"마을의 분위기가 좀 바뀌었어."

대충 그간의 사정을 말씀드리고 나자 아버지가 이런 말을 했다.

"바뀌었다니요?"

"너희 이야기를 믿는 사람들이 많아졌어. 물론 아직 믿지 않는 사람들도 있지만."

"정말로요? 천사라도 사람들에게 나타나서 저희 이야기를 해 주었나요?"

아버지가 우리가 이집트로 도망간 날 그리고 그 후 마을에서 있었던 일을 이야기해 주셨다.

우리가 새벽에 이집트로 떠나고 바로 그날 낮 헤롯의 군인들이 마을에 들이닥쳤다. 군인들이 우리 집에 쳐들어와 예수를 찾았고 부모님은 모른다고 말했다. 베들레헴에 호적 등록하러 간 지 벌써 두 달이 지났는데 아직 안 돌아와 걱정이라고 말했다.

그들은 처음에는 믿지 않았지만 나중에는 믿을 수밖에 없었다. 군인들이 당연히 마을 사람들에게도 우리의 행방을 물어보았고, 호적 하러 떠난 뒤 우리를 본 적이 없다는 같은 말을 들었기 때문이었다.

우리가 베들레헴에서 돌아온 날 늦게 도착해 마을 사람 누구와도 마주치지 않은 것은 정말 다행이었다. 그리고 이집트로 가는 것을 하루만 늦추었어도 예수는 벌써 죽었을 것이다.

군인들이 집을 뒤질 때 가족들은 공포에 떨어야 했다. 작은 집이라 한번 돌아보기만 해도 예수가 없다는 것을 알 수 있었지만, 그들은 집 안의 물건을 다 뒤집으며 쑥대밭으로 만들었다. 가족들은 군인들 때문에 힘든 시간을 보낼 수밖에 없었다.

예수를 못 찾은 군인들이 혹시 우리나 요셉의 가족에게 해코지하지 않을까 걱정했는데 그런 일은 발생하지 않아 다행이었다. 헤롯의 군인들은 한동안 마을에 머물며 우리와 요셉의 가족을 감시하며 계속 예수를 찾았다.

며칠 후 헤롯왕이 베들레헴의 두 살 아래 남자아이를 모두 죽였다는 소문이 이곳까지 퍼졌다. 그리고 그 이유가 이스라엘의 왕이 될 아기를 죽이기 위해서라는 이야기도 함께. 이 끔찍한 이야기를 듣고 또 헤롯의 군대가 예수를 찾는 것을 직접 눈으로 보게 되자, 마을 사람들이 우리의 이야기를 안 믿을 수 없었다.

"군인들이 이 마을의 아기들은 죽이지 않았나요?"

"나도 똑같은 걱정을 했는데 다행히 아무 일도 없었지. 나중에 들은 말로는 군인들이 베들레헴에서 아기를 찾았데. 그 마을 사람들이 너희 이야기를 해서 찾는 아기가 예수라는 것을 알았겠지. 예수라는 것을 정확히 알았으니까 이 마을의 아기들까지 죽일 필요는 없었겠지."

그러나 다른 의문이 들었다.

"그가 찾는 아기가 예수라는 것을 알았는데 헤롯왕은 왜 베들레헴의 아기들을 모두 죽였나요?"

"그 이유는 나도 모르지…… 생각해 봤는데 풀리지 않는 의문이 있어. 우선 왜 헤롯은 베들레헴에서 이방인 박사들이 경배한 아기가 누구인지 찾았을까? 박사들이 예루살렘에 가서 헤롯에게 아기에 관해 알려준다고 말했다며? 그런데 헤롯은 베들레헴에서 예수를 바로 찾지 않았고 박사들이 경배한 아기를 찾았어. 즉 헤롯은 왕이 될 아기가 누구인지 몰랐던 것이지. 박사들은 예루살렘에 가지 않았던 것이고, 헤롯은 아기에 관해 들은 것이 없었겠지."

"박사들은 예루살렘에 가서 헤롯왕에게 예수에 관해 알려주어 그도 경배할 수 있도록 할 것이라고 분명히 말했는데요."

"그들이 왜 헤롯에게 안 갔는지는 모르지. 귀찮아서 안 갔을 수도 있고. 아니면…… 혹시 천사라도 그들에게 나타나 헤롯에게 가지 말라고 전했을지도 모르지."

박사들이 귀찮아서 안 갔을 리는 없다. 그들은 신실해 보였고 약속을 안 지킬 사람처럼 보이지 않았다. 그렇다고 그들이 일부러 우리에게 헤롯왕이 경배할 것이라는 거짓말을 했을 리도 없다. 아니면 정말 그들에게 천사가 나타나서? 그래도 다른 의문은 여전히 풀리지 않았다.

 "아직도 헤롯왕이 베들레헴의 아기들을 모두 죽인 것은 이해가 안 되네요. 찾는 아기가 예수인 것을 들어서 알았으면 그곳의 아기들을 모두 죽일 필요는 없었잖아요!"

 "이스라엘의 왕이 베들레헴에서 태어난다는 것을 알게 된 헤롯이 후환을 없애기 위해 마을의 아기들을 다 죽이지 않았을까? 왕위를 위해 아내와 아들들까지 죽였던 사람이니까. 그리고 베들레헴 사람들이 예수를 꼭 집어 말했지만, 헤롯의 입장에서는 마을 사람들이 거짓말할 수도 있다고 생각하지 않았을까? 베들레헴 사람들이 자기 마을 아기들을 보호하기 위해 이미 떠난 다른 동네에서 온 사람이 낳은 아기라고 거짓말했다고 생각할 수도 있었겠지. 어쨌든 베들레헴의 아기들을 다 죽이고 확실히 하기 위해 이곳으로 예수를 죽이기 위해 또 찾아온 것이겠지."

 베들레헴에 있었던 사십 일 동안 헤롯왕이 예수를 찾지 않아서 다행이었다. 그곳에 있는 동안 헤롯왕이 오기를 목매어 기다렸다는 사실에 가슴이 섬뜩해졌다.

 "베들레헴의 사건은 가슴 아픈 일이지만 어쨌든 그것 때문에 마을 사람들이 너희의 이야기를 믿게 되었지. 그렇게 엄청난 사실을 듣고 또 예수를 찾는 군인들을 직접 보며 어떻게 안 믿을 수 있겠어! 그렇다고 모든 사람이 믿는 것은 아니야. 바리새인과 서기관들은 아직도 믿지 않아."

전혀 예상 못 한 변화였다. 기적이 일어났다. 고향에서 더는 간음한 여자라는 수모를 겪으며 두려움 가운데 살지 않아도 된다. 물론 모든 사람이 믿는 것은 아니지만 그 정도로도 충분했다.

다시 고향 나사렛에서의 일상이 시작되었다. 사람들에게 예수를 낳을 때 찾아왔던 목동과 동방박사들, 그리고 예루살렘에서 만난 시므온과 안나라는 할머니의 이야기를 했다. 사람들은 놀라며 입을 다물지 못했다. 그 모든 이야기가 우리가 했던 이야기와 맞아떨어지는 것을 보자 마을 사람들이 우리를 더 확실히 믿게 되었다.

요셉은 다시 안식일 예배에 참석할 수 있었지만 나는 아직 불가능했다. 마을 사람들이 우리도 안식일 예배에 참석할 수 있도록 해야 한다고 말했지만, 서기관이나 바리새인들의 입장은 강경했다. 특히 안드레는 간음한 여자가 안식일 예배에 참석하는 것은 절대 있을 수 없는 일이라며 물러서지 않았다.

논란 끝에 결국 요셉만 참석해도 된다는 허락을 받았다. 그 후 내가 다시 안식일 예배에 참석할 수 있게 되기까지는 오랜 시간이 걸렸고, 그때도 안드레는 떨떠름한 표정으로 끝까지 반대했었다.

한동안 사람들은 나와 예수를 신기하게 쳐다봤다. 나는 처녀로서 성령으로 임신했다는 사실 때문에 그리고 예수는 헤롯왕이 베들레헴의 아기들을 몰살하면서까지 찾았던 아기이기 때문이었다. 사람들은 예수가 정말 이스라엘의 왕이 될까 궁금해했다.

바리새인 특히 서기관들은 계속 우리를 못마땅하게 생각했다. 우리가 죄인이라는 것을 밝히려는 듯 매서운 눈초리로 우리의 일거수일투족을 주목하며 감시했다. 사람들이 예수나 나에 대해 좋게 말하면 오히려 코웃음을 치며 율법을 들먹이며 핀잔을 주곤 했다. 사람들이 논쟁으로는 그들을 이길 수 없었다. 모든 것을 보고 또 들어서 알고 있지만, 그들은 성령을 통해 예수가 태어났다는 사실을 믿으려 하지 않았다.

예수와 우리의 이야기에 관한 호기심은 시간이 지남에 따라 점점 식어갔다. 사람들은 예수에게 어떤 특별함이 있을 것이라 생각했고 그것을 찾으려고 노력했다. 그러나 예수는 그저 조그맣고 평범한 아기일 뿐이었다. 결국, 사람들의 시선과 관심도 점점 시들어 갔다. 우리는 그전과 같은 평범한 생활로 돌아갈 수 있었다.

결혼잔치

4 BC, 갈릴리 나사렛

"살로메의 결혼식에 갈 거야?"

"당연히 가야지, 친구의 결혼식인데."

요셉에게 말은 이렇게 했지만 속으로는 가고 싶지 않았다. 가장 친한 친구의 결혼식이기 때문에 가야 했고 당연히 축하해 주어야 한다는 것은 잘 안다. 그러나 마음 한편으로 걱정이 앞서는 것은 어쩔 수 없었다.

결혼은 단순히 두 집안의 혼사 이상의 의미로 마을 전체의 잔치이다. 일주일 동안 이어지는 결혼 잔치에는 마을 사람 모두가 초대되며 음식과 술이 끊이지 않는다. 가난한 시골 마을에서 먹고 마시며 즐길 수 있는 흔치 않은 기회이다.

그렇게 마시다 보면 술에 취한 사람이 꼭 있게 마련이고 평소에 하지 않던 말도 별 생각 없이 할 가능성이 있다. 물론 바리새인이나 서기관들도 잔치에 올 것이다. 어쩌면 나를 보며 간음한 여자라고 비난하거나 조롱할지도 모른다. 결혼식에 가고 싶지 않았지만 안 갈 수도 없었다.

요셉과 나는 저녁때 예수를 안고 결혼 잔치가 열리는 신랑 집으로 갔다. 집 앞에 세운 아치형 터널, 집 문과 벽에 걸려 있는 울긋불긋한 화려한 꽃장식, 그리고 그곳을 환하게 밝힌 불들이 결혼 잔치가 열리고 있음을 나타내었다.

신랑 집 앞은 벌써 손님들로 북적였다. 평소에는 쉽게 먹을 수 없는 여러 음식이 탁자 위에 가득했고 맛있는 냄새가 진동했다. 한쪽에는 신나는 음악을 연주하는 악사들이 자리 잡고 있었고, 그들의 곡에 맞추어 몇몇 술 취한 사람들은 벌써 흐느적거리며 춤을 추고 있었다.

잔치는 점점 깊어져 갔고 드디어 신랑과 신부가 도착했다. 신랑은 집 앞마당에 들어서며 주위 사람들에게 인사했고 사람들도 모두 그들을 기쁨으로 맞아주었다.

살로메는 집 앞의 큰 탁자에 신랑과 함께 앉아 주위 사람들과 즐겁게 이야기하고 있었다. 내가 예수를 안고 그녀에게 다가가자 일어나 나를 맞아 주었다. 우리 둘은 집 뒤로 함께 걸었다. 풀벌레들이 사방에서 울어대며 우리를 맞아주었다. 밝은 달빛이 그녀의 화려한 드레스를 눈부시게 비추고 있었다. 그녀는 꽃 화관을 쓰고 있었고 화장으로 붉어진 볼이 어두운 가운데서도 수줍게 드러났다. 그녀는 마냥 즐거운 표정이었다.

"예수, 너무 귀엽다. 나도 이런 예쁜 아기를 낳을 수 있겠지?"

살로메가 예수의 볼을 가볍게 만지며 말했다. 그녀의 매끈하게 뻗은 긴 손가락이 예수의 볼 위에서 빛났다.

"결혼 축하해! 너 오늘 너무 예쁘다."

"고마워! 너도 결혼식 했으면 굉장히 예뻤을 텐데."

살로메가 웃으며 나를 쳐다봤고 눈이 마주쳤다. 다음 순간 그녀는 당황한 눈빛으로 미안하다고 말했다. 결혼식이라는 단어가 마치 다른 사람의 소중한 물건처럼 낯설었다.

"네가 미안할 게 뭐 있어. 이게 다 운명이지."

살로메에게 살짝 미소 지었지만 속으로도 웃을 수는 없었다. 어릴 때부터 마을 사람들에게 예쁘다는 말을 들으며 자라왔다. 그러나 나는 결혼식을 통해 그 아름다움을 사람들에게 자랑할 수 없다.

"결혼 전에 애 낳은 여자가 어찌 감히 결혼식을 상상할 수 있겠어."

살로메에게 화난 것도 아닌데 마음 깊은 곳에 자리 잡고 있던 분노가 올라왔다.

"그래도 여자에게는 결혼식이······"

살로메가 안타까운 표정으로 말을 맺지 못했다. 남자 중심의 세상에서 천대받고 고생만 하는 여자들도 딱 한주 결혼식 잔치 중에는 주인공이 될 수 있다. 그러나 나는 예쁜 드레스를 입을 수도 꽃 화관을 써 볼 수도 없다. 세상에서 가장 아름다운 주인공이 될 기회가 나에게는 주어지지 않았다.

이집트에서 돌아온 후 하루는 요셉이 이런 질문을 했다.

"그래도 결혼식은 하는 것이 좋지 않을까?"

전혀 예상 못한 뜬금없는 질문이었다.

"예수도 낳았고 이미 같이 살고 있는데 무슨 결혼식을 해."

"여자에게는 일생에 가장 중요한 순간인데…… 결혼식 하고 싶지 않아?"

요셉은 내 눈치를 살피고 있었다. 나와 상관없는 일이라 생각했던 것을 아니 잊으려 노력했던 것을 요셉이 끄집어냈다. 가능하다면 나도 결혼식을 하고 싶다. 아니 세상의 그 어떤 일보다 미치도록 하고 싶다. 결혼식을 하고 싶지 않은 여자가 이 세상에 아니 적어도 이스라엘 땅에 있을까?

결혼식을 해도 될까? 바리새인이나 서기관들이 설마 결혼식까지 와서 간음한 여자라고 비난하지는 않겠지? 그러나 만약…… 결혼 잔치 중에 간음한 여자라는 말이 나오게 되면 나는 어떻게 될까? 화려한 주인공이 아니라 오히려 부정한 여자가 될 것이다. 그렇다고 마을의 잔치인데 그들이 오는 것을 막을 수도 없었다. 물론 결혼식 안 하느냐고 물어보는 사람도 없었다.

"결혼식 하고 싶어?"

반대로 내가 요셉을 쳐다보며 물었다.

"나는 해도 안 해도 상관없어."

"혹시 어머님께서 결혼식 하자고 해?"

"어머니가 결혼식 이야기를 하신 적은 없어.…… 그래도 여자에게는 중요하니까. 네가 원하면…"

"애 낳고 함께 살다가 결혼식 한다는 말은 들어보지도 못했네요. 결혼 잔치에서 간음한 여자 소리 듣는 것 보고 싶어?"

신경질적으로 말을 내뱉고 말았다. 말끝은 요셉을 겨누었지만 그를 향한 말이 아니었다. 결혼식을 할 수 없다는 슬픔과 자괴감에 이렇게 소리치고 말았다. 요셉에게 이렇게 말하는 것이 아닌데 그에게 진정으로 미안했다. 나를 위하는 요셉의 마음을 순간 헤아리지 못했다. 눈이 커지며 놀라 당황한 요셉에게 진심을 담아 사과했다. 어쨌든 결혼식은 하지 않기로 했다.

머리가 아파지기 시작했다. 살로메에게 다시 한번 축하한다고 말하고 함께 잔치로 돌아와 내 자리에 앉았다. 내 또래의 젊은 여자들이 모여 있는 탁자였다.

친구들은 음식을 맛있게 먹고 있는데 나는 머리가 아파서인지 맛을 느낄 수 없었다. 입이 바짝 마르며 목으로 음식을 넘길 수 없었다. 즐겁게 깔깔대는 친구들의 대화에도 참여하고 싶었지만 마음도 입도 무거워 말하고 싶은 기분이 아니었다. 온갖 생각이 떠올랐다 가라앉기를 반복해서 친구들의 대화에 집중할 수 없었다. 나의 안색을 보고 친구들이 걱정스럽게 물었고 괜찮다며 억지웃음을 보여주었다.

사람들은 여전히 음식과 술을 즐기고 있었다. 밤이 깊어지며 음악에 맞추어 춤추는 사람들이 점점 더 많아졌다. 버티어 보려고 노력했지만 지끈거리는 머리 때문에 음식을 먹을 수도 대화에 참여할 수도 없었다. 흥겨운 음악과 사람들의 떠드는 소리는 머릿속을 더 어지럽게 울릴 뿐이었다.

멀리서 나의 모습을 지켜보고 있던 요셉이 다가와 괜찮으냐고 물었다. 그에게 머리가 아파 그만 집에 가야 할 것 같다고 말하고 함께 자리에서 일어섰다. 친구들은 집에 가서 좀 쉬고 내일 보자고 걱정의 눈빛으로 말했다.

요셉과 함께 살로메와 신랑에게 가서 다시 한번 축하한다고 말하고 머리가 아파 먼저 집에 가겠다고 말했다. 요셉은 잔치를 빠져나오며 만나는 사람들에게 사정을 설명했다. 그런데 한 탁자에서 살로메의 옆집에 사는 남자가 요셉에게 불쑥 이렇게 물었다.

"요셉, 너는 결혼식 안 하니? 비록 그렇게 맺어진 사이지만 그래도 결혼식은 해야지. 마을의 소중한 잔치 기회가 없어지면 안 되지."

그의 얼굴은 벌써 발그스름했고 살짝 혀 꼬부라진 목소리였다. 천연덕스럽게 말하는 그에게 짜증이 났고 불안감이 몰려왔다.

"애까지 낳고 함께 살고 있는데 결혼식은 무슨 결혼식. 결혼식은 처녀에게나 어울리지."

같은 탁자에 있던 회당장의 아들 안드레가 뻘게진 얼굴로 히죽히죽 웃으며 말했다. 순간 요셉의 얼굴이 돌처럼 굳어지며 그를 날카롭게 노려보았다. 몇 잔 마시지 않았다는 요셉의 얼굴에도 취기가 보였다. 요셉이 안드레 앞으로 성큼 다가갔다. 안드레는 어깨를 으쓱하며 뭐 틀린 말이냐는 표정이었다.

"뭐라고? 너는 헤롯의 군인들이 베들레헴에서 아기들을 죽이고 이곳까지 와서 예수를 찾은 것도 몰라? 그리고 그 이유가 이스라엘의 왕이 될 아기를 죽이기 위해서라는 것도? 마리아는 성령을 통해 예수를 임신했다고!"

요셉이 잡아먹을 듯 쏘아보며 안드레에게 소리쳤다. 요셉과 안드레는 같은 나이로 친구였는데 회당에서의 사건이 있고 난 뒤로는 말도 안 하고 서로 원수처럼 지냈다.

"처녀가 남자와 관계도 안 했는데 애를 가졌다는 말을 믿으라고? 그게 말이 돼? 그리고 헤롯왕이 제정신이 아니었다는 거 몰라? 그러니까 아내와 아들까지도 죽였지. 밤에 꿈이라도 잘못 꾸고 두려움에 베들레헴의 아기들을 죽인 것이겠지. 무슨 성령으로 임신해. 말도 안 되는 소리."

안드레가 코웃음을 치며 사람들을 둘러보며 말했다. 어쩌면 안드레의 말은 바리새인들이 가지고 있는 일반적인 생각일 것이다.

이 싸움을 말려야 하고 이 자리를 피해야 한다고 생각했지만, 두 사람은 물러설 생각이 없는 듯 서로 무섭게 노려보고 있었다. 두 사람 사이에 팽팽한 긴장감이 감돌았다.

긴장의 침묵을 깬 것은 옆 탁자의 어른이었다. 그가 나서서 남의 결혼 잔치에서 싸우는 요셉과 안드레를 나무라며 말렸고, 다른 사람들도 도와줘서 싸움은 더 커지지 않았다. 요셉은 계속 굳은 표정이었고 안드레는 사람들에게 어깨를 으쓱거리며 썩은 미소를 보여 주었다. 그런 안드레를 한 대 때려주고 싶었다. 이 불편한 자리를 빨리 피하고 싶어 요셉의 팔을 잡아끌었다.

싸움은 요셉과 안드레가 했지만 그 싸움의 주인공은 바로 나였다. 사람들은 둘이 내뱉는 거친 말을 들으며 계속 나를 힐끔힐끔 쳐다봤다. 싸우는 것을 보는 것도 사람들의 시선도 너무 불편하고 싫었다. 그냥 이 상황에서 빨리 벗어나 어디 멀리 도망가고 싶을 뿐이었다.

한편으로는 요셉이 고마웠다. 그는 나를 조롱하고 비난하는 사람을 참지 않고 강하게 맞서 싸웠다. 나를 모욕하는 사람을 용서하지 않았다. 그는 언제나 나와 예수를 든든하게 보호하고 지켜주는 성벽과 같은 존재였다.

집에 돌아오자마자 자리에 누웠다. 머리가 깨질 듯이 너무 아팠다. 옆으로 누워 창을 통해 하늘을 쳐다보았다. 구름은 사라지고 창은 달빛으로 꽉 차 있었다. 잔치하기에는 더할 나위 없이 좋은 여름밤이었다. 하늘도 살로메의 결혼을 축하해 주고 있었다. 아름다운 살로메가 행복한 웃음을 띠고 있던 모습이 떠올랐다. 그녀의 인생은 웃음만이 가득한 행복한 삶이 될 것이다. 그러나 나의 삶은?

우리는 살로메의 결혼 잔치에 다시 가지 않았다. 유쾌하게 떠드는 소리와 흥겨운 음악이 집에서도 희미하게 들렸지만, 그곳에 갈 수 없었다. 그 후에도 며칠간 머리가 계속 아팠고 신경이 예민해 있었다. 결혼 잔치는 나와 어울리는 장소가 아니었다. 여자에게는 일생에 단 한 번뿐인 아름다운 주인공이 될 수 있는 자리

지만 나는 주인공이 아니었다. 하나님께서는 그렇게 내 운명을
정하셨다.

실종

AD 8, 유대 예루살렘

예수가 사라졌다.

어제 예루살렘을 떠난 이후로 예수를 본 사람이 아무도 없다. 예수는 어디에 있는 것일까? 아직도 예루살렘에 있는 것은 아닐까? 아니면 다른 곳에서 헤매며 우리를 찾고 있는 것은 아닐까?

예수가 다른 아이들과 어울리며 일행을 잘 따라오고 있으리라 생각한 나의 잘못이었다. 밥을 먹을 때도 잠을 잘 때도 예수가 다른 아이들과 함께 있을 것이라고 생각한 나의 실수였다. 어제 이후 예수는 우리 일행과 함께 있지 않았다.

유월절을 맞아 여덟 가정이 예루살렘에서 명절을 지내고 돌아가는 길이다. 보통은 남자 어른들만 가지만 이번 명절에는 아내와 아이들도 함께 여행했다. 어른이 열여섯이고 아이들은 오십 명이 넘었다. 아이들은 늘 그랬듯이 이곳저곳 몰려다니며 즐겁게 놀면서 어른들을 따라왔다. 그들에게 이 여행은 마치 소풍과 같았다. 나사렛에서 예루살렘으로 오는 길에도 아무 문제가 없었다.

"예수를 찾으러 예루살렘으로 돌아가야 하나?"

요셉은 난감한 얼굴이었고 우리는 어떻게 해야 할지 몰랐다. 이런 일은 처음이었고 다른 마을 사람들도 황당해했다. 아이들이 잠시 사라진 것 같아도 귀신같이 다시 나타나 놀라게 했던 적은 있었다. 그러나 하루 이상 사라진 것은 처음이다. 예수가 일행을 따라잡기 위해 오고 있다면 이 길을 지나갈 수밖에 없을 것이다. 여기서 기다리면 올 것 같지만 만일 그가 안 온다면?

예루살렘으로 돌아가면서 예수를 찾기로 했다. 예루살렘까지는 다시 하룻길을 가야 했다. 일행에게 나사렛에서 보자고 인사를 한 뒤 요셉과 나는 불평하는 아이들을 데리고 예루살렘으로 방향을 잡았다.

온갖 나쁜 상상이 머릿속에서 지워지지 않았다. 예루살렘에서 갈릴리로 가는 길은 광야를 지나야 하고 길도 험해서 강도가 많다고 알려져 있다. 혹시 일행을 쫓아오다가 강도를 만나지는 않았을까? 명절 이후라 길에는 고향으로 돌아가는 사람들이 많아서 강도 걱정은 안 해도 될 것 같았다. 그리고 열두 살 아이에게 뭔가를 뺏기 위해 강도질은 하지 않을 것 같았다.

다음 날 점심쯤 예루살렘에 도착했다. 명절이 끝나고 여행객들이 떠난 예루살렘은 상대적으로 조용했다. 예루살렘까지 오는 도중에 예수를 만나지 못했다. 사람들에게 예수의 행방을 물으며 걸었지만 그를 찾을 수 없었고 결국 성전까지 갔다. 그리고 바로 그곳에서 서기관들과 대화하고 있는 예수를 발견했다. 태평하게 이야기하고 있는 예수를 보자 화가 머리끝까지 치밀었지만, 한편으로는 예수가 무사해서 걱정하던 가슴을 쓸어내렸다. 예수에게 다가가 그를 불렀다. 예수가 돌아본 후 반갑게 다가왔다.

"여기서 뭐 하는 거야? 왜 집에 돌아가는 것을 알면서 따라오지 않았어?"

"이분들과 조금 이야기한 후 바로 뒤따라 가려고 했는데, 이야기가 길어져서 결국 이곳에 남게 되었습니다. 죄송합니다."

예수가 눈치를 보며 공손히 말했다.

"네가 안 보여서 우리가 얼마나 걱정했다고. 혹시 따라오다가 길을 잃지 않았나, 뭔가 잘못되지 않았나 해서."

"그런데 저를 어디서 찾아야 할지 모르셨습니까? 내가 내 아버지의 집에 있어야 한다는 것을 모르셨습니까?"

예수가 빙그레 웃으며 말했다. 어이가 없었다. 지금 분위기 파악 못하고 무슨 뚱딴지같은 소리를 하고 있나!

"그게 뭔 소리야. 너 때문에 온 가족이 하룻길을 갔다가 다시 돌아왔다고. 너는 가족에게 미안하지도 않아?"

요셉이 예수에게 버럭 소리를 질렀다. 동생들도 형과 오빠에게 불만이 가득해 보였다. 서기관들 앞에서 계속 화내는 모습을 보일 수는 없었다. 예수의 소매를 잡아 끌며 그만 집에 가자고 말하려는 순간 예수가 말했다.

"이분들과 하던 이야기가 있는데 곧 끝날 것 같습니다. 조금만 기다려 주시겠습니까?"

어이가 없었고 예수를 이해할 수 없었다. 그는 지금 우리의 걱정 또는 기다리는 가족 따위는 관심이 없는 것 같았다. 화가 났지만 서기관들을 보니 그들도 우리에게 부탁하는 표정이었다. 뭔가 중요한 이야기를 하던 중이었던 것 같았다. 예수에게 대화를 빨리 끝내라고 말했다. 예수는 돌아서 서기관들에게 다시 말을 시작했다.

"하나님께서는 이스라엘이 다른 민족에 대해서 제사장의 나라가 되기를 원하셨기 때문에 이방인을 향한 계획도 있다고 생각합니다. 제사장이 하나님과 인간 사이를 연결하는 역할을 하는 것처럼, 이스라엘도 하나님과 다른 민족을 연결하는 역할을 해야 한다고 생각합니다."

"이방인을 배척하는 것이 아니라 그들을 하나님께 인도해야 한다는 의미인가?"

"예 그렇습니다."

한 서기관이 무슨 말을 더 하려고 하다가 우리를 쳐다보더니 주저하는 것 같았다.

"재미있는 생각이군. 어쨌든 부모님도 오셨으니 오늘은 여기까지 하고 다음에 기회가 되면 계속 이야기해 보도록 하지."

그들은 알 수 없는 이야기를 하고 있었다. 어쨌든 서기관들과 대화는 끝났다.

집에 가려고 하는데 서기관 중 한 명이 요셉에게 잠깐 이야기할 수 있느냐고 물었다. 그가 요셉과 나를 대리석 건물의 기둥 옆으로 끌고 갔다. 그의 이름은 힐렐이었고 예루살렘에서 많은 제자를 가르치는 서기관이었다. 그가 워낙 유명해서 나도 그의 이름을 들어 본 기억이 있다.

"혹시 예수가 서기관에게 정식으로 배운 적이 있나요?"

"아니요. 아직 나이도 어리고, 저희가 형편이 여유가 없어서요."

"정말 따로 제자로서 배운 적이 없다고요?"

힐렐의 두 눈이 커졌다. 그는 작은 키에 머리카락과 수염은 백발이었고 갸름한 얼굴에는 주름이 가득했다. 그런데 왜 이 사람은 예수가 서기관에게 배웠다고 생각하는 것일까?

"회당에서 들은 내용이 아마 전부일 겁니다."

"회당에서 듣는 것만으로는 절대 그런 내용을 알 수 없을 텐데요. 저도 열두 살이라는 말을 듣고 제자가 돼서 배우기에는 어리다는 것을 알았습니다. 그러나 예수는 제가 오랫동안 가르친 제자보다 아는 것도 많고 지혜로워서, 혹시나 하는 생각에……."

서기관을 그것도 이스라엘에서 가장 유명한 예루살렘의 서기관을 놀라게 할 정도라니. 예수가 총명하다는 것은 알았지만 서기관도 놀라게 할 정도의 지식이나 지혜가 있다고 느낀 적은 한 번도 없었다. 예수가 있는 쪽을 돌아봤다. 그는 동생들과 장난치며 놀고 있었다, 딱 열두 살 아이같이.

"혹시 예수를 제대로 가르치실 생각은 없으십니까? 앞으로 잘 가르치면 이스라엘 최고의 서기관이 될 수 있을 겁니다."

"그럴 수 있으면 좋겠지만 사는 형편이 여유가 없어서……"

우리는 예수가 메시아가 되든 이스라엘의 왕이 되든 일단 그를 잘 가르쳐야 한다고 생각했었다. 우리를 좋게 생각하지 않는 나사렛의 서기관들에게 배우는 것은 불가능했고 또 기왕 가르치려면 최고의 서기관에게 배우게 하고 싶었다. 그래서 일 년 전쯤에 예루살렘의 서기관에게 배우려면 비용이 얼마나 드는지 알아본 적이 있었다. 학비와 숙식을 위한 비용까지 고려하면 우리의 형편으로는 꿈도 꿀 수 없는 정도라는 것을 알았고 그래서 바로 포기했었다.

"제가 돈 안 받고 예수를 가르쳐 보고 싶습니다. 숙식도 제공될 것입니다. 돈 문제라면 걱정 안 하셔도 됩니다."

예수를 이렇게까지 좋게 생각해 주는 것에 깜짝 놀랐고 고마웠다. 그러나 너무 갑작스러웠다. 만약 힐렐의 제안을 받아들이면 예수는 예루살렘에서 살며 배워야 한다. 열두 살의 어린 나이에 집과 부모를 떠나 객지에서 혼자 살아야 한다. 이런 상황을 고려 안 해본 것은 아니지만 그것은 예수가 더 나이 들고 나서의 일이라 생각했었다.

요셉이 힐렐에게 나와 잠깐 이야기하겠다고 말하고 나를 마지막 기둥 옆의 건물 끝으로 끌고 갔다.

"이 제안을 어떻게 생각해?"

요셉이 힐렐을 한번 힐끗 쳐다보더니 나지막하지만 흥분된 목소리로 물었다. 힐렐은 다른 서기관들이 있는 건물 마당으로 걸어가고 있었다.

"좋은 기회라는 것은 알지만 갑작스러워서. 시간을 두고 생각해 봐야 하는 것 아니야?"

"이건 정말 일생일대의 기회야. 지금 잡지 않으면 또다시 이런 기회는 없을 거야."

요셉의 두 눈이 반짝였다. 요셉은 이미 마음의 결정을 한 것 같았다. 나도 이것이 흔치 않은 기회라는 것은 알지만 쉽게 결정할 수 있는 문제가 아니었다.

"예수에게도 물어봐야지. 예수가 싫다고 할지 모르잖아."

"예수는 분명 좋아할 거야. 지난 사흘 동안 서기관들과 대화하며 재미있는 시간을 보냈잖아. 오죽하면 집에 가는 것도 잊어버리고 서기관들과 이야기했겠어?"

맞는 말이다. 서기관들과 대화할 때 예수의 목소리는 들뜬 것 같았고 행복해 보였다. 분명 예수도 좋아할 것 같았다. 그러나 겨우 열두 살의 예수를 혼자 살도록 해도 될까?

"일단 예수에게도 물어보는 것이 좋을 것 같아."

요셉이 큰 소리로 예수를 불렀고 예수가 바로 뛰어왔다.

"서기관들과 이야기는 재미있었어?"

"네, 재미있었습니다."

"그래서 말인데, 저분이 너를 가르치고 싶다고 한다. 그것도 돈도 안 받고…… 어때 저분에게 배워보지 않을래?"

"싫습니다."

예수는 웃으며 간단히 대답했다. 오히려 요셉이 놀라는 눈치였다.

"이 좋은 기회가 왜 싫어?"

요셉을 거들며 예수에게 물었다.

"가족과 떨어져 혼자 살기 싫습니다."

"갑작스럽고 고향을 떠나 혼자 산다는 것이 두려울 거야. 나도 이해해. 그러나 이것은 예루살렘의 가장 유명한 서기관에게 배울 수 있는 둘도 없는 좋은 기회야. 그것도 공짜로."

요셉의 표정은 간절했다. 그러나 예수는 힐렐을 한 번 쳐다본 후 퉁명스럽게 대답했다.

"두려워서 그러는 것이 아닙니다. 사실을 말하면 저는 서기관들에게 배우지 않아도 됩니다. 배울 필요도 없고 배우고 싶지도 않습니다."

깜짝 놀라 힐렐을 쳐다보았다. 그는 다른 서기관들과 이야기하고 있었다. 그는 예수의 말을 못 들었을 것이다. 다행이었다. 그런데 열두 살 아이가 배울 필요가 없다고 말하다니. 아니면 배우는 것에 관심이 없나? 요셉은 예수를 어떻게 설득할까 고민하는 것 같았다. 그러나 예수가 먼저 말했다.

"저는 율법과 선지자들의 가르침을 다 알고 있습니다. 그래서 더 이상 배울 필요가 없습니다. 제 말을 못 믿으시겠으면 저분에게 어떤 질문이든 해 보라고 하십시오."

요셉과 나는 말문이 막혀 서로 쳐다봤다. 어떻게 열두 살 아이가 이스라엘 최고의 서기관에게 배울 것이 없다는 말을 할 수 있단 말인가! 어떻게 해야 하나? 그렇다고 '예수가 이미 다 알아서 배울 것이 없다고 합니다, 사실인지 한 번 질문해 주십시오.'라고 힐렐에게 부탁할 수도 없었다. 힐렐은 자기가 가르치는 제자들보다 더 많이 아는 것 같다고도 말했다. 예수의 말을 믿기도 어려웠지만 그렇다고 믿지 않을 수도 없었다.

"진짜 저분에게 배우고 싶은 생각이 없어?"

"배우고 싶지 않은 게 아니라 배울 게 없습니다."

예수는 단호하게 요셉에게 대답했다. 요셉은 난처한 표정으로 무언가 골똘히 생각하고 있었다. 배울 게 없다고 하는데 무작정 그에게 가서 배우라고 강요할 수는 없었다.

요셉이 예수에게 알았다고 말했다. 예수는 동생들에게 달려갔고 우리는 힐렐이 있는 쪽으로 걸어갔다. 그가 돌아서 긴 옷자락을 휘날리며 우리에게 다가왔다. 요셉이 어린 예수를 혼자 이곳에 두고 배우게 할 수 없다며 그에게 미안하다고 말했다.

"혹시 예수가 더 큰 후에 마음이 바뀌면 꼭 다시 찾아오시기 바랍니다. 제가 정말 잘 가르쳐 보고 싶습니다."

힐렐은 진정 아쉬운 표정이었다.

예수와 동생들을 데리고 집으로 향했다. 힐렐의 말은 놀라웠다. 누구에게 정식으로 배운 적이 없는데 서기관들을 놀라게 하다니! 또 돈을 안 받고 제자로 가르치고 싶다는 말까지 들었다. 예수에게 화가 많이 났지만 힐렐의 말은 그 마음을 녹이기에 충분했다.

내 마음을 사로잡은 것은 또 있었다. "내가 내 아버지 집에 있어야 한다."라는 예수의 말이었다. 그는 어떤 의미로 이 말을 했을까? 성전은 하나님의 집인데 예수는 그 성전을 내 아버지의 집이라고 말했다. 자신이 하나님의 아들이라고 말하는 것과 같다.

요셉과 나는 예수에게 태어날 때 천사에게 들은 이야기를 해 준 적이 없었다. 그동안은 예수가 어려서 이야기를 해도 이해할 수 없으리라 생각했다. 더 중요한 이유는 그가 하나님의 아들이라면 우리의 입을 통해 듣지 않아도 스스로 알 것이라 생각했다. 그런데 오늘 예수가 예루살렘 성전을 내 아버지 집이라고 말했다.

예수는 자신이 어떤 존재인지 알고 있나? 그가 하나님의 아들이라면 왜 이렇게 평범해 보이는 것일까? 예수를 키우며 그가 하나님의 아들이나 메시아라고 느낄 정도로 특별하다고 생각한 적은 한 번도 없었다.

예수에게 직접 물어볼까? "하나님의 집에 있어야 한다." 라는 말이 하나님의 아들이라는 의미였냐고? 그러나 두려웠다. 만일 '맞다' 라고 예수가 대답하면 어떻게 해야 하나? 예수는 동생들과 즐겁게 떠들며 앞서 걸어가고 있었다. 딱 열두 살 소년의 모습으로. 그러나 오늘 그의 뒷모습이 너무나 낯설다.

결혼

AD 16, 갈릴리 나사렛

"예수에게 잘 이야기해서 우리 마르다랑 결혼시킵시다."

간단한 인사가 끝나자마자 마르다의 엄마가 단도직입적으로 말
했다. 사실 이번이 처음은 아니다. 작년에도 예수가 거절해서 결
혼 이야기를 그만둔 적이 있었다. 해가 바뀌자 마르다의 엄마가
또다시 결혼시키자고 재촉하기 시작했다.

"작년에는 예수가 싫다고 했지만, 그 후에 예수가 마르다에게
친절하게 잘해 준다네요. 마음이 바뀌었을지 모르니까 예수에게
다시 한번 말해봐요."

마르다의 엄마가 앞으로 당겨 앉으며 식탁 위의 나의 손을 잡
으며 말했다.

"예수가 누구에게 친절하지 않은 것 본 적 있어요?"

"분명 마음이 바뀌었을 거예요. 다시 한번 예수에게 잘 말해 봐요. 아니면 강제로 시키든지. 예수라면 분명 부모 말을 들을 테니까."

예수는 언제나 착하고 순종적이었다. 그러나 다른 일이라면 예수가 부모의 말을 따를 것이라 생각되지만 결혼은 전혀 다른 문제였다.

"마르다가 싫은 게 아니라 누구와도 결혼 자체를 안 하겠다고 하니까 저도 어쩔 수 없네요."

예수가 결혼할 나이가 되자 처녀가 있는 집에서 예수와 결혼시키자는 말이 나오기 시작했다. 예수는 얼굴이 잘생긴 것은 아니지만 착하고 성실한 건장한 청년이었다. 또 매사에 차분하고 지혜로워서 많은 부모가 자기 딸을 예수와 결혼시키기 원했다.

우리는 예수가 태어난 과정을 알기 때문에 그가 결혼 안 할 수도 있겠다는 생각을 했었다. 그래도 결혼 이야기가 나오면 혹시나 하는 마음에 일단 예수에게 물어봤다. 그럴 때마다 그는 웃으며 결혼 안 한다고 간단히 대답할 뿐이었다. 결혼에 대한 압박은 요셉이나 나에게 또 예수에게 상당했다.

그중 마르다라는 아이의 집이 가장 적극적이었다. 작년에 예수가 거절했다는 말을 듣고 마르다는 일주일을 앓아누웠다고 한다. 그래서인지 잘 설득해 보고 아니면 강제로라도 시키자고 막무가내로 재촉했다. 다른 아이들의 혼인이라면 강제로 시킬 수 있겠지만 예수는 그럴 수 없었다.

일을 마치고 요셉이 먼저 집에 돌아왔다. 예수와 야고보는 주문

받은 가구를 아직 마무리하는 중이라고 한다.

"오늘 마르다 엄마가 또 다녀갔어. 마르다와 결혼시키자고."

"그 집은 포기할 생각이 없는 모양이군."

"예수에게 말하지 말까? 어차피 물어봐도 똑같은 대답일 텐데."

요셉은 흔들리는 화롯불만 뚫어지게 쳐다보며 말이 없었다.

"당신 혹시 천사에게 예수는 절대 결혼시키지 말라는 말 들은 적 있어?"

시선은 화롯불에 고정한 채 뜬금없이 요셉이 물었다. 가브리엘 천사장을 만났던 날의 기억을 더듬어 봤다.

"천사에게 그런 말을 들은 적은 없었어. 그러면 당신도?"

요셉은 대답이 없었다. 그가 어떤 의도로 이 말을 꺼냈는지 바로 알 수 있었다. 어쩌면 결혼도 하나님의 계획 안에 있는지 모르는 일이다.

다음 날 오후 요셉이 예수만 데리고 집에 일찍 돌아왔다. 동생들이 없을 때 결혼 이야기를 하기 위해서였다. 예수는 스무 살로 벌써 결혼 적령기를 넘겼지만 두 살 아래 동생 야고보도 결혼할 나이를 지나고 있었다. 동생이 먼저 결혼할 수 없어서 빨리 형이 결혼하기만을 기다리고 있었다. 그래서 야고보는 형 예수에게 불만이 많았다. 나이 많은 여자 동생들도 마찬가지였다. 동생들은 형이나 오빠가 결혼을 안 해서 걱정이 많았다. 요셉이 말을 시작했다.

"마르다 집에서 또 결혼하자고 한다. 너도 나이가 있으니까 결혼해야 하지 않겠어? 동생들의 결혼도 걱정이고. 너 때문에 동생들이 결혼 못하는 것을 너도 원하지 않지?"

"결혼 안 한다고 했잖아요. 마르다가 좋은 아이라는 것은 알아요. 그러나 그런 문제가 아니라는 것을 아버지도 어머니도 잘 아시잖아요. 저는 결혼 안 합니다."

예수의 얼굴에 잔잔한 미소가 번졌다. 그의 표정이 심각한 얼굴의 요셉과 묘한 대조를 이루었다.

그때 동생 야고보가 문을 열고 들어왔다. 식탁에 앉아 대화하는 것을 보고 야고보도 와서 자리를 잡았다. 그가 쓰고 있던 두건을 벗자 땀에 흠뻑 젖은 이마가 번들거렸다. 그가 흘러내린 앞머리를 손가락으로 쓸어 올리며 웃으며 물었다.

"무슨 심각한 이야기를 하고 있어요?"

야고보의 해맑은 눈빛을 보자 미안함과 짜증이 동시에 올라왔다. 어떻게 해야 하나? 대화의 주제를 다른 것으로 바꾸어야 하나? 결혼은 최근 야고보에게 아주 민감한 주제였다. 그때 예수가 야고보를 한 번 쳐다본 후 말했다.

"다시 한번 말하지만 저는 결혼 안 합니다. 저는 신경 쓰지 마시고 동생들이나 빨리 결혼시키세요."

순간 야고보의 얼굴에서 웃음이 사라졌다. 천장을 한번 쳐다본 야고보는 예수를 쏘아보며 소리쳤다.

"형이 결혼을 안 하니까 나와 동생들의 결혼 이야기가 없다고, 알기나 해?"

"미안하다 야고보. 사람들에게 너희에게 청혼해도 된다고 나도 말할 게."

"그런데 형은 도대체 왜 결혼을 안 하려는 거야? 여자가 없어서 못하는 것도 아니고. 결혼하고 싶다는 여자들은 줄 서 있는데. 동생들을 생각해서라도 결혼해 주라, 제발."

야고보는 예수를 보며 애원하며 말했다. 예수는 미소를 거두고 미안하다는 말만 할 뿐이었다. 분노가 야고보의 굳은 얼굴에 나타났다. 그의 거친 숨소리만이 조용한 집에 퍼져 나갔다. 야고보가 고개를 저으며 눈을 감더니 이내 한숨을 크게 쉬며 다시 눈을 떴다.

"형은 항상 이런 식이야. 동생들 입장은 생각지도 않고 언제나 자기 원하는 대로만 하지. 나는 형 때문에 내 인생이 꼬였어, 아주 제대로 꼬였다고."

야고보는 이렇게 소리치고 문을 꽝 닫고 나가버렸다. 야고보가 형에게 불만이 있는 것은 알았지만 이렇게 불같이 화내는 것은 처음 보았다.

야고보가 이렇게 반응하는 것도 이해가 됐다. 결혼뿐 아니라 다른 일 때문에도 야고보는 어릴 때부터 형 예수 때문에 힘들어했고 불만이 많았다. 야고보는 욱하는 성격에 다혈질이고 조심성도 없어서 사고를 많이 쳤다. 그 때문에 예수와 비교돼서 마을 사람들에게 야단도 많이 맞았다. 예수와 비교당하며 사는 삶이 쉽지 않았을 것이다. 그런데 이제 형 때문에 결혼도 늦어지게 되자 쌓였던 화가 폭발하는 것 같다.

"동생들 생각도 해야지. 너 때문에 동생들이 결혼을 못하고 있잖아. 네가 결혼만 하면 모든 것이 해결되는데."

"저는 결혼 안 합니다."

예수의 목소리는 단호했다. 요셉이 지긋이 예수를 쳐다봤다. 예수는 시선을 맞추지 않고 식탁 위만 쳐다보고 있었다.

"우리는 네가 어떻게 태어났는지…… 천사의 계시를 받고 태어났다는 것을 알아."

예수에게 한 번도 말한 적 없는 이야기를 요셉이 꺼냈다. 사람들에게 들었으면 모를까 우리는 예수에게 태어날 때의 이야기를 한 적이 없었다. 만약 사람들에게 듣고 그 의미를 모른다면 분명 우리에게 다시 물어볼 것이라고 생각했었다. 그러나 예수는 한 번도 자신의 출생에 관해 묻지 않았다.

"바로 그 이유 때문에 저는 결혼할 수 없습니다."

예수는 놀라는 기색도 없이 마치 잘 알고 있는 당연한 사실이라는 듯 담담하게 말했다.

요셉은 약간 놀라는 표정이었지만 주저하지 않고 다음 말을 계속했다. 둘의 목소리는 평소와 마찬가지로 다정했지만 무거운 긴장이 자리를 압도하고 있었다.

"믿음의 조상인 아브라함, 모세, 다윗 모두 하나님께서 선택하셔서 하나님의 일을 했던 사람들이지만 모두 결혼했잖아. 그것도 아내가 한 명도 아니고 여러 명이었지. 너도 천사의 계시를 받고 태어났지만 결혼하는 것이 하나님의 뜻일지도 모르지."

요셉의 말은 묘하게 설득력이 있었다.

"하나님의 아들을 낳을 것이라는 말을 듣지 않으셨나요? 그들은 사람이었고 그래서 결혼했습니다. 그러나 하나님의 아들이 결혼할 수 있나요?"

예수의 얼굴에 부드러운 미소가 나타났다. 그의 웃는 얼굴에서 오히려 위압감이 느껴졌다. 예수는 자신이 태어날 때 천사가 우리에게 한 말을 정확히 알고 있었다. 신성모독으로 돌 맞아 죽을지 모르는 말을 예수는 지금 아무 거리낌 없이 하고 있다.

요셉이 아랫입술을 한번 잘끈 깨물더니 지지 않고 말을 이었다.

"하나님의 아들이라는 말을 천사가 해 주었지. 그렇지만 그리스 신들 이야기 못 들어 봤어? 그리스 신들은 결혼하고 아이도 낳고 하잖아."

순간 예수의 얼굴이 싸늘하게 굳어졌다. 한 번도 본 적이 없는 표정이었고 전혀 다른 사람처럼 보였다. 잠시 후 강하고 굵은 목소리로 예수가 말했다.

"요셉, 지금 하나님과 그리스 신들을 비교하는 것이냐?"

갑자기 찬물을 뒤집어쓴 것 같은 서늘함이 온몸에 퍼졌다. 눈이 동그랗게 커진 요셉도 놀란 입을 다물지 못했다. 예수가 질문한 내용도 놀라웠지만, 더 경악하게 한 것은 예수가 요셉을 아버지라 부르지 않고 이름으로 부르고 있다는 사실이었다.

예수는 한 번도 우리를 아버지와 어머니가 아닌 이름으로 부른 적이 없었다. 그리고 언제나 공손하게 말했는데, 지금 예수는 마치 스승이 제자에게 질문하는 듯한 위엄 있는 말투로 질문하고 있었다.

요셉은 당황해서 아무 대답도 하지 못했다. 그는 예수를 쳐다보지도 못했다. 흔들리는 그의 눈은 예수가 아닌 주위만 더듬고 있었다. 그의 표정에서 두려움이 느껴졌고 나도 마찬가지였다.

"요셉, 너는 지금 인간이 만들어 낸 그리스의 가짜 신들과 천지를 창조하신 전능하신 하나님을 비교하는 것이냐?"

예수의 말에서 도전할 수 없는 권위가 느껴졌다. 요셉의 얼굴이 터질 것처럼 붉어졌다. 그가 침을 꼴깍 삼킨 후 무언가 말하려고 했다.

"아니…… 그게 아니라…… 혹시……"

요셉의 더듬는 목소리는 심하게 떨렸다. 예수가 슬픔이 가득한 눈으로 나를 쳐다봤다. 마치 너도 요셉과 같은 생각이냐고 물어보는 듯했다. 그의 눈길을 피해 창 쪽으로 어색한 시선을 돌릴 수밖에 없었다.

한동안 무거운 침묵이 예수와 우리 사이를 갈라놓았다. 지금 그는 우리가 알던 다정하고 사랑스러운 아들 예수가 아니라 완전히 다른 사람이었다.

"그래서 저는 결혼할 수 없습니다. 그러니 결혼 이야기는 다시는 안 하셨으면 좋겠습니다."

긴 침묵을 깨고 예수가 웃음을 지으며 다시 공손하게 평소와 같은 다정한 목소리로 말했다. 예수는 그 말을 하고 밖으로 나갔다. 문밖으로 사라지는 예수의 뒷모습이 크게 느껴졌다.

요셉과 나는 한동안 넋을 놓고 아무 말도 할 수 없었다. 조금 전 벌어진 상황을 어떻게 이해해야 할지 몰랐다. 간난 아기 때부터 키워서 예수가 어떤 존재인지 잊고 살았다. 아주 가끔 '예수가 하나님의 아들인가 아니면 메시아가 될 것인가?'라는 생각을 한 적도 있었지만, 예수는 그냥 우리가 키운 평범한 아이일 뿐이었다.

그러나 이제 모든 것이 확실해졌다. 비록 내 배 아파서 낳고 직접 키웠지만 예수는 나의 아들이 아니다. 천사의 계시대로 그는 하나님의 아들이고, 예수도 자신이 어떤 존재인지 잘 알고 있다. 예수가 자라며 특별하다고 생각해 본 적이 없었기 때문에 그 사실을 잊고 살았을 뿐이다.

그는 남들에게는 변함없이 요셉의 아들 예수였지만 우리에게는 더 이상 같은 존재가 아니었다. 그는 하나님께서 계획하신 길을 가고 있었고 그가 가는 길의 여정 가운데 결혼은 예정에 없었다.

다시는 예수에게 결혼 이야기를 하지 않았다. 요셉과 나는 예수를 어떻게 대해야 할지 몰랐다. 말 붙이기도 어려웠다. 아니 예수를 부르는 호칭부터 고민해야 했다. 우리는 두려움 가운데 그를 지켜볼 수밖에 없었다. 그러나 예수는 이전과 같이 우리에게 다정하고 공손했다.

시간이 지나며 예리했던 그날의 기억은 점점 무디어져 갔고, 우리도 점차 예수를 그전처럼 대할 수 있게 되었다. 또다시 평범한 일상으로 돌아가고 있었다.

가출

AD 29, 갈릴리 나사렛

"어머니, 드릴 말씀이 있습니다."

둘이 함께 살며 늘 이야기하는데 갑자기 예수가 할 말이 있다고 한다. 요셉이 죽고 또 동생들이 모두 결혼한 이후에 이 집에서는 예수와 단둘이 살고 있었다. 예수는 목수 일을 하며 나를 돌보아 주었다. 결혼은 안 했지만 예수는 듬직한 장남으로 늘 나를 그리고 동생들을 도와주고 챙겨 주었다.

"하나님의 뜻을 이루기 위해 내일 집을 떠나 사역을 시작할 것입니다."

갑작스러웠다. 언젠가는 이런 일이 있으리라는 것은 예상하고 있었다. 그러나 예수는 나이 삼십이 넘도록 목수 일만 하며 살았다. 나와 요셉을 놀라게 한 적도 있었지만 특별한 모습을 보여준 적은 없었다. 너무나 평범했기에 사실 태어날 때 천사에게 들었던 말은 먼 기억 속의 사건일 뿐이었다. 그런데 오늘 갑자기 하나님의 사역을 위해 집을 떠나겠다고 한다.

예수에게 왜 집을 떠나려고 하느냐고 물어볼 수도 아니면 집에 있으라고 붙잡을 수도 없었다. 이 모든 것은 그가 태어날 때부터 계획된 일의 과정임이 틀림없다. 다만 내가 생각한 시기보다 훨씬 늦었을 뿐이다.

뭘 준비해서 보내야 하나? 여러 생각으로 마음이 바빠졌다.

"아무것도 준비하실 필요 없습니다."

예수는 나의 마음을 들여다보는 것처럼 말했다. 당장 내일 집을 떠난다면 동생들을 불러서 마지막 밤을 함께 보내도록 해야 하나?

"동생들은 부르지 마세요. 그냥 조용히 떠나겠습니다. 동생들은 다음에 다시 볼 기회가 있습니다."

예수에게 또다시 마음을 들킨 기분이었다. 예수가 낯설었다.

저녁을 정성껏 준비했다. 저녁을 함께하며 그동안 살면서 있었던 여러 추억을 함께 나누었다. 아름답고 행복했던 기억들이 하나씩 들춰지며 아쉬움은 더 커졌다. 장남으로서 나를 그리고 동생들을 지켜주던 예수를 떠나보내기 싫었다. 그러나 내가 어떻게 그의 앞길을 막을 수 있겠는가? 예수를 웃으며 떠나보내야 한다, 그의 앞길을 축복하며!

야고보가 문을 열고 들어왔다. 망치를 빌리러 왔다. 예수가 망치를 찾는 동안 야고보도 식탁에 자리를 잡았다.

"오늘은 진수성찬이네요, 무슨 날인가요?"

평소보다 풍성한 저녁상을 보고 야고보가 웃으며 물었다. 예수가 돌아와 망치를 식탁 위에 놓으며 말했다.

"마침 잘 됐구나, 야고보. 나는 내일 하나님의 뜻을 이루기 위해 집을 떠날 것이다."

야고보는 눈이 커지며 예수를 보고 다시 나를 쳐다봤다.

요셉과 나는 동생들에게 예수가 태어날 때의 이야기를 한 적이 없었다. 동생들이 형이나 오빠에 대해 오해하지 않도록 하기 위해서였다.

사실 동생들이 왜 예수는 요셉과 나를 닮지 않았느냐고 농담처럼 물어본 적이 있었다. 동생들은 모두 나와 요셉을 닮아서 누가 봐도 우리 자식이라는 것을 바로 알 수 있었다. 그러나 예수는 요셉과 나 그리고 가족 누구와도 닮지 않았다. 동생들에게 예수는 성령을 통해 임신하고 낳았다고 말했다면 믿었을까?

"앞으로 어머니와 동생들을 잘 부탁한다. 앞으로 이 집의 가장은 너다, 야고보."

"집을 떠난다고? 집을 떠난다는 것이 무슨 말이야?"

야고보는 이해할 수 없다는 표정이었다.

"하나님의 뜻을 이루기 위해 집을 떠나 하나님의 사역을 시작할 것이다."

"하나님의 사역을 한다고? 형이 왜? 서기관도 제사장도 아닌 목수가 왜 하나님의 일을 해?"

예수의 얼굴이 굳어졌다. 나도 야고보의 말에 당황했다.

"그냥 집 나가고 싶어서 그러는 거 아니야? 더 이상 어머니와 함께 살기 싫어서, 어머니를 보살피기 싫어서 그러는 거 아니야?"

"미안하다. 너에게 부담 줘서. 그러나 하나님의 일을 하는 것이 내 운명이고 내가 가야 할 길이다. 네가 생각하는 그런 이유 때문이 아니야."

야고보가 화내고 있는데도 예수는 당황하거나 놀라지 않았다. 예수의 목소리는 차분했다.

"형은 어릴 때부터 혼자 착한 척하며 늘 나만 욕먹고 힘들게 만들었지. 형 때문에 결혼도 못 하는 줄 알았다고. 그런데 이제는 아주 집을 나가겠다고? 그래 나가, 어머니는 내가 모실 테니까 걱정하지 말고, 하고 싶은 것 다 하며 잘살아 봐."

어렸을 때는 형에게 화내고 대들었던 적도 있었지만 결혼한 후 형에게 이렇게 거칠게 말하는 것은 처음이었다.

"야고보, 너 형에게 무슨 말버릇이야. 빨리 사과해."

예수의 눈치를 보며 다급하게 야고보에게 말했다. 그러나 집을 나가겠다는 형에게 좋은 말이 나올 수는 없을 것이다. 어쨌든 이 상황을 수습해야만 했다. 동생들에게 예수의 이야기를 안 한 나의 잘못이다. 예수가 태어날 때의 이야기 그리고 예수가 어떤 존재인지 동생들에게 말해 주었어야 했다.

"내가 다 말해 줄게. 형이 어떻게 태어났는지 하나님께서 천사를 통해 형에 대해 뭐라고 말씀하셨는지."

"천사의 계시를 받고 태어나든 특별하게 태어나든 저는 관심

없어요. 집 나가고 싶으면 가라고 해요. 어머니는 제가 모실 테니 걱정하지 마시고!"

야고보는 빌리러 온 망치도 가져가지 않고 자리를 박차고 나가 버렸다. 예수는 야고보가 떠난 자리를 슬픈 눈으로 가만히 바라 보았다. 무거운 침묵이 집 안을 짓눌렀다. 어색함을 깨고 싶었지 만 무슨 말을 해야 할지 몰랐다. 어쩌면 마지막 밤이 될지도 모 르는데 즐거웠던 기억을 회상하는 것이 아니라 오히려 동생과 말 다툼만 하고 말았다.

예수가 태어날 때의 일들이 생각났다. 요셉과 나의 이야기를 믿 어주는 사람이 없어서 고통 속에서 힘든 날들을 보내야만 했다. 그런데 이제 예수가 커서도 또다시 가족조차 믿지 않는 상황이 된 것이다.

이 모든 상황이 내 잘못 때문이라는 생각이 들었다. 예수는 야고 보와 다시 만나 화해할 기회가 있을까? 아니 적어도 다시 만날 수는 있을까?

"우리 다시 만날 수 있지? 동생들도 함께."

"걱정하지 마세요, 꼭 다시 만날 겁니다."

예수가 고개를 돌려 밝은 웃음으로 말했다. 다시 만날 수는 있 겠지만 야고보와 동생들이 걱정이었다. 집 나간 형과 오빠를 어 떻게 생각할까?

"동생들도 제가 하는 사역을 이해하게 될 겁니다. 야고보는 오 히려 제가 하는 사역에 큰 힘이 될 겁니다."

예수는 초조해하는 내 마음을 알고 있었다. 동생들이 예수를 이해할 것이라는 말에 걱정이 누그러졌다. 그러나 야고보가 예수의 사역에 힘이 된다는 말은 믿기 어려웠다. 이렇게 거칠게 예수와 싸웠는데 어떻게 그가 예수의 사역을 도울 수 있단 말인가?

예수와 여러 이야기를 하며 또다시 과거로의 여행을 시작했다. 예수가 처음 우물물을 길으려고 했을 때 하마터면 우물에 빠질 뻔한 일. 예수가 양을 데리고 들판에 나갔다가 잠이 들어 양이 사라져 버렸고, 온 가족이 양을 찾아 헤매던 일. 처음 망치질을 배우다가 손가락을 찍었고 결국 검게 변한 손톱이 빠졌던 일. 예수는 그때 자신이 실수한 것이 아니라 옆에 있던 야고보가 건드려서 손가락을 내리치고 말았다고 한다.

"야고보가 건드려서 손을 내리쳤다고 하면 그가 혼날 것 같아서 일부러 말 안 했어요."

한 번도 들은 적 없는 이야기였다. 어린 나이였지만 역시 예수다웠다.

우리는 시간 가는 줄 모르고 이야기에 빠져 있었다. 많은 추억이 있었는데 다시는 이런 이야기를 할 수 없을 것이라는 상실감에 가슴이 아스라이 아팠다. 예수 없는 삶의 외로움을 누가 위로해 줄 수 있을까? 이 밤이 영원히 계속될 수 있으면 좋겠다. 그러나 이 모든 기억을 뒤로하고 내일이면 예수를 떠나보내야 한다. 그를 하나님께 보내줄 시간이 된 것이다.

시간이 늦어 자리에 누웠다. 여러 생각 때문에 쉽게 잠들 수 없었다. 하나님의 일을 하는 예수는 어떤 모습일까? 메시아로서 다윗처럼 군대를 일으켜 이스라엘을 로마로부터 해방할까? 아니면 모세가 행했던 기적 같은 것이 예수를 통해 나타나 로마가 스스로 도망가게 될까? 그러나 한 가지 분명한 사실은 어떤 거대한 운명이 예수와 나 그리고 우리 가족을 기다리고 있다는 것이다. 그리고 그것이 어떤 모습으로 다가올지라도 나는 그 운명을 받아들여야 할 것이다.

뒤척이다가 겨우 잠이 들었다. 다음 날 아침 눈을 뜨자 예수의 모습은 보이지 않았다.

포도주

AD 29, 갈릴리 가나

가나에 있는 친척 아들의 결혼 잔치에 갔다. 나이가 들어 오래 걸으면 무릎도 아프고 피곤했지만, 결혼 잔치에 가는 길이라 즐거운 마음으로 발걸음을 옮길 수 있었다.

도착하자 친척인 혼주가 먼저 나를 알아보고 다가왔다. 반갑게 안부 인사를 하며 그녀에게 축하를 전했다. 신랑과 신부에게도 축하한다는 말을 했다. 그 후 한 탁자에 자리를 잡자 시중드는 사람이 음식과 포도주를 가져다주었다. 배가 고파 허겁지겁 허기를 먼저 채웠다. 아침에 집에서 먹은 이후 온종일 아무것도 먹지 못해 배가 고팠다.

시작한지 벌써 닷새째로 잔치는 절정을 향해 달려가고 있었다. 음악에 맞추어 노래를 부르는 사람, 춤추는 사람, 술에 취해 들뜬 목소리로 떠드는 사람, 모두가 흥겹게 잔치를 즐기고 있었다.

예수가 일행과 함께 오는 것이 보였다. 깜짝 놀랐다. 이곳에서 예수를 만날 것이라고는 상상도 못 했다. 집을 떠난 지 석 달 정도밖에 안 됐는데도 너무 반가웠다. 그의 부재가 공허함으로 다가와 한동안 힘든 나날을 보냈었다. 집 안 곳곳에 남아 있는 예수의 잔상들이 문득문득 떠오를 때마다 눈물을 훔치곤 했다.

예수는 혼주와 인사를 나누고 있었다. 예수에게 다가가 부르자, 그가 돌아보며 마찬가지로 놀란 표정이었다. 예수는 나의 두 손을 잡고 반갑게 인사했다. 그리고 자기와 함께 온 사람들을 소개하며 자신의 제자라고 말했다. 제자? 제자라는 말은 예수가 선생이라는 의미인데, 이 사람들에게 뭘 가르치는 것일까?

예수의 제자들은 모두 어려 보여서 십 대 같았고 평범해 보였다. 그중 요한이라는 아이는 아주 어려 보이는 앳된 얼굴이었다. 그들은 모두 순수하고 활기차 보였다. 예수가 하나님의 일을 하려면 함께 할 사람들이 있을 것이라고 생각했었다. 그러나 이렇게 어린 나이의 평범한 모습일 것이라고는 예상 못 했다. 예수가 나를 어머니라고 소개하자 그들은 모두 놀라며 나에게 정중하게 인사했다.

예수에게 동생들의 안부를 전한 후 그동안 어떻게 지냈는지 물었다. 예수는 제자들과 함께 여러 마을을 다니며 하나님의 나라를 선포하고 가르친다고 한다. 이것이 하나님의 뜻을 이루는 방법인가? 내가 상상한 메시아의 모습이 전혀 아니었다.

예수는 신랑 신부에게 인사한 후 제자들과 함께 내가 있는 탁자로 와 자리 잡았다. 예수는 집 떠날 때와 별 차이가 없어 보였다. 여전히 목수의 건장한 체격이었고 까무잡잡하지만 부드러운 인상의 얼굴도 그대로였다.

예수는 제자들과 함께 술과 음식을 즐겼다. 보통 제자들은 선생을 어려워한다고 들었다. 그러나 예수의 제자들은 예수와 스스럼 없이 대화하며 농담도 해서 선생과 제자가 아니라 마치 친구처럼 보였다.

예수가 잠깐 자리를 비운 사이 그의 제자들이 놀라운 이야기를 해주었다. 그들이 예수의 제자가 된 과정은 특이했다. 보통 제자가 되기 원하는 사람이 선생을 선택하고, 선생이 받아들이면 제자가 된다. 그러나 예수는 이들에게 "나를 따르라!"라는 말만 했고 어느 순간 알 수 없는 힘에 이끌려 그의 제자가 되었다고 한다. 제자들이 예수를 선택한 것이 아니라 예수가 그들을 부른 것이다.

제자들은 예수가 가르치는 내용이 서기관들에게 한 번도 들어본 적 없는 지혜롭고 놀라운 것이라고 한다. 율법을 해석하는 방법도 서기관들과 달라서 가르침을 이해하기가 쉽지 않다고 한다. 그러나 그의 가르침을 듣고 있으면 내용이 마음 깊이 와 닿아 빠져들게 된다고 한다. 서기관이나 바리새인들은 예수의 가르침을 싫어하지만 사람들은 좋아한다고 한다.

저녁이 깊어지고 하루의 일을 끝내고 온 사람들이 모여들며 잔치는 점점 더 무르익어 가고 있었다. 그런데 혼주와 시중드는 사람들이 어두운 표정으로 분주하게 왔다갔다하기 시작했다. 잔치의 흥겨운 분위기와 어울리지 않는 모습이었다. 혼주를 문 앞에서 잡아 이유를 물었다.

"준비한 포도주가 다 떨어졌어요. 지금 탁자 위에 있는 것이 남아 있는 술의 전부예요. 이 잔치는 완전히 망했어요. 어떻게 하면 좋아요?"

혼주의 얼굴이 사색이 되어 있었다. 일단 그녀를 집 안으로 끌고 들어갔다. 잔치 도중에 술이 떨어지다니 안타까운 일이다.

"혹시 마을에 남아 있는 술이 있는지 찾아봤어요?"

"사람들을 보내서 알아봤는데 남아 있는 술은 하나도 없어요. 충분히 준비했다고 생각했는데 결국 모자라게 되었으니…… 사람들이 잔치 준비를 제대로 안 했다고 우리를 비난할 거예요."

창백한 얼굴의 혼주는 넋두리처럼 이렇게 말했다. 그녀의 말이 이스라엘 땅에서 어떤 의미인지 너무나 잘 안다. 결혼 잔치에서 음식이나 술이 떨어지는 것은 손님을 제대로 대접하지 못한 것으로 여겨져 가문의 수치로 생각한다.

간절히 도와주고 싶었지만 어떻게 해야 할지 몰랐다. 그때 술을 더 달라고 외치는 소리가 문 너머로 들렸다. 머리를 부여잡은 혼주의 얼굴에 두려움이 떠올랐다. 술을 더 달라는 사람들이 있는데 내어줄 술이 없었다. 잔치 분위기가 조금씩 싸늘하게 식어가고 있었다.

갑자기 예수 생각이 났다. 그는 보통 사람이 아니다. 그는 천사의 계시를 통해 태어났고 결국 메시아가 될 것이다. 그가 이 문제를 해결할 수 있을 것이라는 생각이 들었다.

예수를 조용히 불러냈다. 함께 집 안으로 들어가 이 딱한 사정을 설명했다.

"이 일이 나와 무슨 상관이 있다고 그러십니까? 아직 내 때가 되지 않았습니다."

예수가 웃으며 전혀 다른 대답을 했다. 그리고 아직 때가 되지 않았다는 것은 또 무슨 의미인가? 때가 돼서 하나님의 일을 위해 집을 떠난다고 말하지 않았었나?

상황을 설명할 때 예수는 안타까워하는 표정이었고 그의 말에는 따스함이 스며 있었다. 그가 이 문제를 해결할 수 있을 것이라는 생각이 들었다. 시중드는 사람들에게 예수가 무엇을 시키든지 그대로 하라고 말하고 먼저 자리로 돌아왔다.

탁자 위에 있는 술병을 흔들어 보았다. 약간의 출렁임이 느껴졌지만 이 술도 한두 순배가 돌고 나면 곧 없어질 것이다. 예상보다 손님이 많이 와서 술이 모자라게 되었나? 아니면 사람들이 술을 너무 많이 마셔서? 어떤 이유이든지 결혼 잔치에 술이 부족하다는 것은 있을 수 없는 일이다.

갑자기 시중드는 사람들이 물 항아리를 들고 왔다갔다하며 바빠지기 시작했다. 그들은 조금 후 술병을 가져와 손님들의 탁자 위에 놓았다. 우리 탁자에도 새 술병을 놓고 갔다. 술병을 잡아들자 꽉 찬 술병의 묵직함이 느껴졌다. 잔에 술을 따라 냄새를 맡아 보고 입으로 가져가 마셔 보았다. 검붉은 빛깔의 부드러운 포도주였다. 떨어졌던 포도주가 다시 나오기 시작했다.

비었던 술병들이 새 술로 채워지자 잔치 분위기가 다시 살아나기 시작했다. 사람들은 새로 나온 포도주를 좋아했다. 예수와 제자들도 술을 마시며 즐겁게 대화를 계속했다.

그렇게 잔치 분위기가 고조되고 있을 때 잔치 책임자가 일어나 사람들을 조용히 시켰다. 사람들이 일제히 그를 주목했다.

"결혼 잔치에 참석해 주신 모든 분에게 감사를 드립니다. 그리고 귀한 잔치를 통해 즐길 수 있도록 해 주신 신랑과 신부 그리고 양가 가족에게 감사를 드립니다."

사람들이 박수와 환호성으로 감사의 마음을 전했다. 양가 가족들은 감격스러운 표정으로 고개 숙여 인사했다. 잔치 책임자가 혼주를 보며 말했다.

"보통 잔치가 시작할 때는 좋은 포도주를 내놓고 손님들이 어느 정도 취한 뒤에는 그보다 못한 것을 내놓습니다. 그런데 이 결혼 잔치에서는 오히려 나중에 더 좋은 술이 나오네요. 아니 지금 이것은 제가 맛본 포도주 중 최고입니다."

그가 잔을 들며 이렇게 말하자, 다른 사람들도 그 말이 맞다고 맞장구치며 잔을 높이 들어 환호했다. 좋은 술 아니 최고의 술이라는 칭찬이 끊이지 않았다. 흥겨운 잔치는 계속 이어졌다.

혼주를 한쪽으로 불러 세워 어떻게 된 일이냐고 물었다.

"시중드는 사람들에게 어떻게 술을 구했느냐고 물어보았지요. 예수가 정결 예식을 위한 여섯 개의 돌항아리를 물로 가득 채우라고 해서 가득 채웠고, 술병에 담아 잔치에 내놓으라고 해서 가져다주었을 뿐이라고 하네요. 자신들은 분명 물로 항아리를 채웠는데 그 물이 술이 되었다고 합니다."

"기적이네요."

나도 모르게 나지막이 소리쳤다.

"기적이지요. 어쨌든 술 걱정은 끝났습니다. 감사합니다. 모두 예수 덕분입니다."

혼주는 내 손을 잡고 고맙다는 말을 몇 번이나 반복했다.

자리로 돌아왔다. 예수는 여전히 제자들과 포도주를 마시며 즐겁게 대화하고 있었다. 그가 나를 돌아보며 가볍게 웃었고 나도 눈웃음으로 답했다. 그들의 대화에 집중하려고 했지만 예수에게 물어보고 싶은 것이 있어서 미칠 지경이었다. 결국, 그들의 대화를 끊고 예수에게 물었다.

"어떻게 물을 포도주로 바꾼 거니?"

단도직입적으로 물었다. 예수가 놀라는 기색도 없이 웃으며 대답했다.

"조금 전 저에게 부탁하신 일 아닌가요? 그래서 해 드렸는데."

"물론 부탁했지. 그래도 어떻게 물을 포도주로 바꿀 수 있었니?"

예수의 제자들은 깜짝 놀랐다. 그들은 어떤 일이 있었는지 전혀 모르고 있었다. 내가 술이 떨어진 일, 예수에게 부탁한 일, 그리고 혼주에게 들은 이야기를 제자들에게 해 주었다. 그들은 놀라서 입을 다물지 못했다. 예수는 다른 사람의 이야기를 듣는 것처럼 재미있다는 듯 웃기만 했다.

"진짜 물을 포도주로 바꾸신 겁니까?"

제일 나이가 많아 보이는 시몬이라는 제자가 물었다.

"내가 이런 기적을 행할 수 있다는 것을 몰랐느냐?"

제자들은 서로의 얼굴을 쳐다보기만 할 뿐 대답을 못 했다.

"어째서 그렇게 놀라느냐! 하나님께서 인자를 통해 이보다 더 놀랍고 신비한 일 하시는 것을 너희가 앞으로 보게 될 것이다."

예수가 메시아라면 이런 기적을 행하는 것은 어쩌면 당연할 것이다. 그런 능력이 있어야 메시아로서 이스라엘을 로마로부터 구할 수 있을 테니까. 그러나 함께 살며 단 한 번도 예수가 이런 특별한 능력을 보여준 적이 없었다. 생각을 못 한 것은 아니지만 그래도 내 눈으로 직접 예수가 행하는 기적을 보다니!

금의환향

AD 30, 갈릴리 나사렛

예수가 나사렛에 돌아왔다.

예수가 집을 떠나 사람들을 가르치기 시작한지 벌써 일 년 정
도 지났다. 그는 유명한 선생이 되었다. 여러 마을을 다니며 사람
들을 가르치고 병을 고치며 여러 기적을 행해서 많은 사람이 그
를 따랐다. 예수가 제자들과 따르는 무리와 함께 안식일 전날 고
향에 왔다.

예수가 집을 떠났다는 야고보의 말을 들은 동생들도 처음에는
화가 많이 났었다. 동생들에게 천사가 나와 요셉에게 한 이야기
그리고 예수가 태어날 때 있었던 일을 모두 말해 주었다. 그러나
평범한 목수로서의 모습만 보였던 형과 오빠를 메시아로 믿지 못

했다. 시간이 지나며 예수의 가르침과 기적에 관한 소문이 들려오자 동생들은 집 떠난 형과 오빠를 이해하기 시작했다. 그러나 그들에게 예수는 메시아가 아니었다. 그래도 유명인이 된 예수를 그리고 자신들이 그의 동생이라는 것은 자랑스럽게 생각했다.

오후 늦게 예수와 제자들 그리고 그를 따르는 한 무리의 사람들이 마을에 들어섰다. 집을 떠날 때는 나사렛 출신의 목수에 불과했지만 지금은 유명한 선생이 되어 마을에 돌아왔다.

마을 입구에서부터 많은 사람이 그를 보기 위해 기다리고 있었다. 우리 집은 마을 입구에서 멀지 않은 곳에 있었지만, 예수는 마을 사람들과 한 명씩 인사하느라 집까지 오는데 시간이 걸렸다. 바리새인과 서기관들은 좀 떨어진 곳에서 심드렁한 표정으로 예수와 일행을 쳐다보고 있었다. 예수가 유명해져도 그들은 아직도 예수를 좋게 생각하지 않았다.

예수가 드디어 집 앞까지 왔다. 예수는 나를 보자 함박웃음을 지으며 다가와 안았다. 그는 조금 야윈 듯했고 단단했던 몸은 찾을 수 없었다. 예수는 동생들도 한 명씩 안아 주며 반갑게 인사했다.

맨 뒤에 서 있던 야고보의 차례가 됐는데 그는 어색한 얼굴로 주저하며 예수에게 다가가지 못했다. 예수가 집 떠날 때 자신이 했던 심한 말 때문에 예수에게 미안한 마음이 있을 것이다. 예수가 잠시 멈추어 서서 야고보를 쳐다봤다. 야고보는 예수와 시선을 마주치지도 못했다.

"그동안 나 때문에 고생 많았지? 반갑다, 야고보!"

예수는 환하게 웃으며 다가가 격하게 야고보를 끌어안았다. 야고보의 긴장하던 얼굴이 풀어지며 그도 예수를 안았다.

예수와 우리 가족은 집으로 들어갔다. 처음에는 동생들이 눈치를 보며 말을 잘 못했고 분위기가 어색했다. 그러나 예수가 농담도 하며 분위기를 잘 이끌어 예전처럼 즐겁게 이야기할 수 있었다. 어떻게 지냈는지 안부도 묻고 과거의 일들을 회상하며 즐거운 시간을 보냈다.

대부분 마을 사람들은 예수를 자랑스럽게 생각했다, 이런 시골마을에서 유명인이 나왔다고. 예수의 소문이 퍼지고부터는 마을 사람들이 나를 그리고 동생들을 대하는 태도가 바뀌었다. 예수는 나와 가족에게 그리고 마을 사람들에게 자랑이었다.

저녁 식사를 함께한 후 늦은 시간까지 이야기하다가 동생들은 자기들 집으로 돌아갔고 예수와 나도 잠자리에 들었다.

다음 날 안식일 예배를 드리기 위해 예수와 함께 회당으로 향했다. 예수가 가르칠 것이라는 소문이 퍼져 회당은 사람들로 발 디딜 틈이 없었다. 안식일 예배가 시작되고 순서에 따라 회당장인 안드레가 예수에게 성경 두루마리를 주며 읽고 가르쳐 달라고 부탁했다. 어렸을 때 신성모독이라고 외치던 청년 안드레는 그의 아버지를 이어 이곳 나사렛의 회당장이 되었다.

그날 예수가 읽은 성경 말씀은 이사야 선지자가 쓴 내용이었다.

"주께서 나를 성령으로 충만하게 하셨으니 가난한 사람에게 기쁜 소식을 전하게 하시려고 나를 택하여 보내셨다. 그가 나를 보내신 것은 마음 상한 자를 고치고 포로에게 자유를 선포하며 눈먼 사람을 다시 보게 하고 짓눌린 사람을 풀어주며 주께서 은혜 베푸실 때를 전파하도록 하기 위해서이다."

예수가 가르치기 시작했다. 내용은 메시아에 관한 것이었는데 서기관들에게 들어본 적이 없는 설명이었다. 서기관들은 메시아가 로마로부터 이스라엘을 구원할 것이라고 가르쳤고, 그래서 사람들은 메시아가 오기를 기다리고 있었다. 그러나 예수는 메시아가 하나님의 나라를 이 땅에서 이룰 것이라고 전혀 다르게 설명하고 있었다.

"이 가르치는 지혜가 도대체 어디서부터 온 겁니까?"

한 사람이 이렇게 소리쳤다.

"병을 고치는 능력도 있다고 하는데 그것은 또 어디서 온 겁니까?"

"예수는 목수였던 요셉과 마리아의 아들이 아닙니까? 그의 형제들인 야고보, 요셉, 시몬, 유다, 그리고 그의 여자 동생들도 다 함께 이 마을에서 자랐는데, 어떻게 이런 지혜와 기적의 능력이 그에게 있는 겁니까?"

다른 사람들도 이어서 외치기 시작했다. 사람들의 수군거리는 소리가 사방에서 들렸다.

예수의 가르침을 직접 들은 마을 사람들은 놀라워했다. 기적의 소문도 들어서 잘 알고 있다. 그러나 예수가 특별하다는 것은 믿지 못하는 것 같았다.

나이 많은 사람들은 예수가 아기 때부터 자라온 것을 쭉 지켜봐 왔다. 비슷한 또래의 사람들은 어릴 때부터 친구처럼 지내온 사이였다. 이 마을에서 예수는 요셉의 아들이고 목수일 뿐이다. 그래서인지 마을 사람들은 예수가 가르치는 내용은 놀라워했지만, 어떻게 이런 가르침을 할 수 있고 기적을 행할 수 있는지에 더 관심이 있는 것 같다.

사람들의 웅성거림이 커지자 예수가 손을 들었고 사람들이 조용해졌다. 예수의 얼굴은 차갑게 굳어 있었다. 조금 전 설명할 때와는 다르게 위엄 있는 목소리로 예수가 말했다.

"방금 읽은 이 성경 말씀이 오늘 너희에게 이루어졌다."

한동안 사람들은 예수가 한 말의 의미를 이해하지 못했다. 말없이 서로 얼굴만 쳐다보다가 곧 다시 웅성거리기 시작했다. 그때 회당장 안드레가 일어나 사람들을 둘러보며 소리쳤다.

"신성모독! 이사야 선지자의 이 예언을 이룰 수 있는 사람은 메시아밖에 없는데 어떻게 감히 자신이 그 예언을 이미 이루었다고 말할 수 있습니까? 이건 신성모독입니다."

안드레가 외치는 소리에 깜짝 놀랐다. 예수를 임신했을 때 들었던 말을 삼십 년 정도 지나 같은 사람이 같은 장소에서 했기 때문이다. 과거의 아픈 기억이 되살아나며 '예수에게 무슨 일이 벌어지지 않을까?' 라는 걱정에 가슴이 두근거렸다.

안드레를 따라 몇몇 바리새인들이 신성모독이라고 외쳤지만, 사람들은 숨죽이고 상황만 지켜보고 있었다. 사람들의 긴장한 숨소리와 불안한 눈빛만이 회당을 채웠다.

예수가 메시아라고 말하는 사람도 있다는 것을 알기 때문에 예수를 간단히 정죄하며 비난만 할 수는 없을 것이다. 삼십 년 전과 같은 공포의 분위기가 아니어서 다행이다. 그러나 상황이 어떻게 전개될지는 알 수 없었다.

불만 가득한 표정으로 사람들을 둘러보던 안드레가 다시 소리쳤다.

"가버나움에서는 많은 기적을 행했다고 들었는데 당신의 고향인 이곳에서도 기적을 행해 보시오. 그러면 당신이 이 예언의 말씀을 이룰 메시아라고 믿겠소."

"우리에게도 기적을 보여 주시오! 그러면 믿겠소!"

마을 사람들이 안드레를 따라 기적을 보여 달라고 외치기 시작했다. 예수는 웃음기 없는 얼굴로 안드레와 마을 사람들을 천천히 둘러보았다. 예수가 아무 말 없이 사람들을 쳐다보기만 하자 외치는 소리가 다시 잦아들기 시작했다.

"예언자가 자기 고향에서는 환영받지 못한다. 엘리야 시대에 이스라엘에는 삼 년 반 동안 비가 내리지 않아 온 나라에 큰 흉년이 든 일이 있었다. 그때 거기에는 많은 과부가 있었지만, 하나님께서는 오직 시돈 땅의 사렙다에 사는 한 과부에게만 엘리야를 보내셨다. 또 예언자 엘리사 시대에는 이스라엘에 많은 문둥병자가 있었으나 한 사람도 깨끗함을 받지 못하고 오직 시리아 사람 나아만이라는 사람만 고침을 받았다."

예수의 말은 단호했고 거침이 없었다. 또다시 무거운 침묵이 회당을 덮었다. 사람들은 예수의 말이 어디를 겨냥하는지 알지 못

했고, 그가 한 말의 의미를 파악하려고 노력하고 있었다.

사람들이 다시 웅성거리기 시작했다. 드디어 예수가 한 말의 의미를 알아차렸고, 그들의 마음이 격하게 요동치기 시작했다. 예수는 선지자들이 자기 고향에서 환영받지 못했던 것처럼 나사렛 사람들이 자신을 받아들이지 않는다고 책망하고 있었다.

"예수는 감히 자신을 엘리야, 엘리사 선지자와 비교하며 우리 마을 사람들을 비난하고 있습니다. 그리고 하나님께서 하신 일을 모욕하고 있습니다. 이건 신성모독입니다."

회당장 안드레가 사람들을 둘러보며 소리쳤다. 마을 사람들이 안드레를 따라 신성모독이라고 흥분하며 소리치기 시작했다. 조금 전까지 예수를 비난하지 않았던 마을 사람들도 함께 신성모독이라고 한 목소리로 소리치고 있었다.

사람들이 예수에게 모여들었다. 그들은 화나 있었고 금방이라도 예수를 칠 것 같은 험악한 분위기였다. 가슴이 쿵쾅거리며 거칠게 뛰기 시작했다. 삼십 년 전 나에게 일어났던 일이 또다시 예수에게 일어나는 것은 아닌가?

뒤에 자리 잡고 있던 제자들이 앞으로 뛰어나가 예수와 사람들 사이에 섰다. 그들은 마을 사람들과 마주 서서 노려보고 있었다. 다행히 주먹을 드는 사람은 아무도 없었다. 나이가 어려 보이는 제자들은 겁에 질린 얼굴로 떨고 있었다.

"그런 헛소리나 하려면 당장 마을을 떠나시오. 당신은 이 마을에 발을 들여놓을 자격이 없소."

안드레가 소리쳤고 마을 사람들도 "마을을 떠나시오!" 라고 소리치기 시작했다. 예수는 여전히 굳은 표정이었다.

예수가 제자 베드로의 어깨에 손을 얹으며 앞으로 걸음을 옮기기 시작하자 제자들과 사람들이 길을 터 주었다. 예수는 제자들과 함께 말없이 회당을 빠져나갔다. 예수는 앞장서서 마을 입구 쪽으로 걸어가기 시작했다.

마을 사람들이 예수를 따라가며 신성모독 그리고 마을을 떠나라고 계속 소리쳤다. 한 바리새인이 예수를 마을 끝 벼랑에서 밀어버리자고 사람들을 선동했지만 감히 그에게 손대는 사람은 없었다. 예수는 말없이 앞만 보고 천천히 걸었다. 제자들과 따르던 무리도 사람들의 눈치를 살피며 조용히 그를 따랐다.

가족과 작별 인사도 못하고 예수는 고향을 떠났다. 마을 입구에서 작별 인사를 할까 생각했지만 그만두었다. 고향 사람들에게 당한 일 때문에 상심하고 있을 예수를 생각하니 용기가 나지 않았다. 예수가 쓸쓸하게 떠나는 것을 처량하게 볼 수밖에 없었다. 고향에서 며칠 함께 지내며 즐거운 시간을 보내려고 했는데, 예수는 오히려 사람들에게 신성모독이라는 비난만 듣고 쫓겨나듯이 떠나고 말았다.

마을 사람들은 예수에게 크게 실망했다. 왜 예수가 고향에서는 기적을 보여주지 않고 오히려 사람들을 비난만 했는지 의아해했다. 다른 마을에서는 문둥병, 중풍 그리고 소경을 고쳐주었다는 소문도 들어서 사람들의 기대가 컸었다. 물론 나사렛에도 그런 중한 병자들이 많이 있었다. 그런데 병을 고쳐 주는 것은 고사하고 마음의 상처만 주고 떠나서 사람들이 배신감을 느꼈다.

　동생들의 낙담도 컸다. 예수의 고향 방문이 사람들의 기대에 전혀 못 미쳤기 때문이다. 그 후 마을 사람들은 예수에 대해 좋게 말하지 않았고 우리 가족을 바라보는 표정도 싸늘해졌다.

　예수는 왜 고향에서 기적을 행하지 않았을까? 사람들의 말에 의하면 예수에게 기적을 행하는 것은 별로 어려운 일이 아닌 것 같았다. 기적을 보여주었으면 마을 사람들이 그를 메시아로 믿을 수 있었을 것이고 분위기도 좋았을 것이다. 그런데 왜?

　예수는 그렇게 아픈 기억만을 간직한 채 고향을 떠났다. 고향 사람들에게도 예수의 방문은 좋은 기억으로 남아 있지 않았다. 그것은 우리 가족도 마찬가지였다.

나쁜 엄마

AD 32, 갈릴리 나사렛 근방

예수가 옆 마을에 왔다는 소문을 들었다. 예수를 만나기 위해 동생들과 함께 그 마을로 갔다. 예수를 만나러 갈 것이라고 하자 동생들도 모두 나를 따라나섰다.

일 년 전쯤 온 이후로 예수는 다시 고향을 찾지 않았다. 옆 마을까지 왔다는 말을 들었지만 그가 고향에 올지 알 수 없었다. 그때 고향에 왔다가 사람들에게 비난만 들었으니 아마 다시 오고 싶은 마음이 없을 것이다.

예수는 더 유명해져서 이스라엘 땅에서 그를 모르는 사람은 아마 없을 것이다. 그의 가르침과 그가 행한 기적들은 사람들을 매혹시키기에 충분했다. 예수는 토라나 선지서를 꿰뚫는 놀라운 통찰력과 사람들을 설득하는 능력이 있어서 그의 가르침은 사람들의 마음을 휘어잡는다고 한다. 예수는 병을 고치고 귀신을 쫓아내며 물 위를 걸었고 죽은 자도 살렸다고 한다. 또 물고기 두 마리와 떡 다섯 조각으로 오천 명을 먹이는 기적도 행했다고 한다.

해가 하늘 높이 솟아 흙먼지 날리는 길을 뜨겁게 달구었을 때옆 마을에 도착했다. 마을에서 예수를 찾는 것은 어렵지 않았다. 어느 한 집 앞에 많은 사람이 모여 있어서 예수가 그곳에 있으리라 생각했고 예상은 틀리지 않았다. 예수가 집 안에서 가르치고 있다고 한다. 사람들이 집 안팎으로 꽉 차서 예수를 만나러 들어갈 수 없었다.

어떤 사람이 집 안으로 들어가는 것이 보였다. 그 사람은 집주인이었고 그래서인지 사람들이 그에게는 들어갈 수 있게 길을 내주었다. 조금 후 그 사람이 밖으로 나왔다. 그 사람을 불러 우리가 누구인지 소개하고 예수에게 만나고 싶다고 전해 달라고 부탁했다. 집주인의 눈이 커졌다. 그가 눈웃음을 지으며 사람들 사이를 뚫고 다시 집 안으로 들어갔다.

우리는 집 건너편 무화과나무 그늘로 갔다.

"어머니, 음식을 조금만 먹으면 안 돼요? 배가 너무 고파 쓰러질 것 같아요."

"조금만 기다려. 예수가 나오면 함께 먹자. 말을 전해 달라고 부탁했으니까 곧 나오겠지."

나무 밑에 자리 잡자 막내가 배고프다고 말했다. 새벽부터 예수와 그의 제자들을 위해 정성껏 음식을 준비했다. 돌아다니며 가르친다고 하니까 잘 먹고 다니는지 걱정이 됐다.

"오빠를 메시아라고 생각하는 사람들도 있는데 오빠가 정말 메시아일까?"

"어떤 사람들은 오빠가 왕이 될 것이라고 말해."

"글쎄, 나중에 알게 되겠지. 메시아는 다윗의 왕위를 회복할 것이라고 예언되었으니까 형이 메시아라면 당연히 왕도 되겠지."

야고보가 웃으며 동생들에게 말했다.

"오빠가 왕이 되면 우리는 가족이니까 왕궁에서 함께 살자고 하겠지?"

"정말 왕궁에서 살게 될까?"

모두 상상만으로도 즐거운 표정이었다.

조금 뒤 집 안에서 사람들의 웅성거리는 소리가 나더니 집주인이 밖으로 나왔다. 그에게 손을 흔들자 우리에게 다가왔다. 예수는 함께 나오지 않았다. 집주인은 우리의 눈치를 살피기만 하고 아무 말도 하지 않았다.

"우리가 기다린다고 예수에게 전했나요?"

"예, 기다린다고 말을 전하긴 했는데······"

인상 좋은 집주인은 긴 턱수염을 바르르 떨며 난감한 표정으로 말을 끝맺지 못했다.

"그래서요?"

야고보가 집주인의 대답을 재촉했다. 집주인이 한숨을 길게 내

쉬고 말을 시작했다.

"어머니와 동생들이 밖에서 기다린다고 하니까, 예수님께서 사람들을 둘러보시며 '내 어머니와 형제가 누구냐?' 라고 질문하셨습니다."

모두 순간 어리둥절한 표정이었다. '만나겠다' 아니면 '지금은 못 만나겠다' 라는 대답이 아니라 오히려 사람들에게 알 수 없는 질문을 했다.

"그 질문은 무슨 뜻인가요?"

야고보가 집주인에게 다시 물었다. 집주인의 창백한 얼굴이 더 어두워졌고 대답을 주저하고 있었다. 그러나 곧 모든 것을 체념한 듯 말을 이었다.

"사람들도 예수님께서 왜 그런 질문을 하셨는지 이유를 알 수 없었습니다. 아무도 대답을 못했고 그렇게 한동안 정적이 흘렀지요. 그 후 예수님께서 제자들을 가리키시며 '보아라! 이들이 네 어머니와 형제들이다. 누구든지 하늘에 계신 내 아버지의 뜻을 따라 사는 사람이 바로 내 형제와 자매이며 어머니이다.' 라고 말씀하셨습니다."

집주인이 미안한 표정으로 또다시 우리의 눈치를 살폈다. 동생들은 실망의 기색이 얼굴에 가득했다. 아니 실망을 지나 분노의 표정으로 바뀌며 서로 쳐다볼 뿐이었다.

이 어처구니없는 상황에 어떻게 반응해야 할지 몰랐다. 나와 가족이 이곳까지 일부러 찾아와 만나자고 하는데 예수가 어떻게 사람들에게 그런 말을 할 수 있단 말인가? 고향에서 있었던 사건 때문에 아직도 화가 나 있나? 마을 사람들에게는 몰라도 가족에게 화낼 일은 전혀 없었다.

"어머니와 동생들이 밖에서 기다린다는 말을 듣고도 예수가 정말 그렇게 말했습니까?"

정신을 차리고 집주인에게 다시 물었다.

"네, 그렇게 말씀하셨습니다."

집주인의 말은 기어들어 가고 있었다.

어떻게 해야 하나? 머릿속이 혼란스러웠다. 만나는 것을 포기하고 이대로 그냥 돌아가야 하나? 예수를 만나려고 일부러 옆 마을까지 그것도 온 가족이 왔는데. 아니면 내가 들어가 예수를 직접 만나 말해볼까? 그러나 만약 내가 들어가 말했는데도 거절한다면? 자존심 때문에 용기가 나지 않았다.

집주인이 미안하다고 말하고 자리를 떴다. 얼굴이 빨갛게 달아오른 야고보가 화난 목소리로 소리쳤다.

"형, 미친 거 아니야? 어머니가 와서 찾는데 어떻게 그렇게 말할 수 있어?"

"정말 제정신이 아니네. 가족이 찾아와 만나자고 하는데 어떻게 그런 말을 그것도 많은 사람 앞에서 할 수 있어?"

동생들의 얼굴이 모두 울그락 불그락해졌다.

"사람들이 우리를 어떻게 생각하겠어? 가족들이 오빠를 괴롭혔거나 아니면 뭔가 큰 잘못을 해서 가족을 외면한다고 생각할 거야!"

"맞아, 우린 졸지에 형을 괴롭힌 나쁜 사람이 되었고 만나기조차 싫은 가족이 되고 말았다고!"

사람들은 가족 간에 문제가 있어서 예수가 만나고 싶어하지 않는다고 생각할 것이다. 사람들에게 우린 예수를 괴롭힌 가족이되었고 나는 나쁜 엄마가 되고 말았다. 동생들의 화는 쉽게 풀릴것 같지 않았다. 나도 화가 났다. 어떻게 엄마인 나에게 예수가이럴 수 있단 말인가!

우리는 화목한 가족이었고 사람들은 그런 우리를 부러워했다.그런 가족이 될 수 있었던 것은 바로 예수가 장남으로서 가족들을 위해 헌신하며 보살펴 주었기 때문이었다. 그런데 왜 예수가가족에 대해 그렇게 비정하게 말해야만 했을까?

"어머니는 화도 안 나세요?"

아무 말도 없이 가만히 있자 막내인 유다가 나에게 물었다. 황당함과 분노가 마음속에서 소용돌이쳤지만 그렇다고 이미 화나있는 동생들을 더 자극할 수는 없었다.

집을 떠난 후 예수가 어떤 일을 하고 어떤 소식을 듣더라도 놀라지 말아야 한다고 스스로 다짐하곤 했다. 그가 가야 하는 길이평범한 길이 아니라는 것을 알았기 때문이다. 그러나 지금의 상황은 전혀 다른 형태로 예상 밖이었다. 예수의 말은 가족을 완전히 무시하는 듯한 것이었다.

"그만 집에 돌아가자. 여기 계속 있어 봐야 볼 일도 없고 앞으로 보고 싶지도 않아. 아니 절대로 다시는 안 볼 거야!"

야고보의 말은 신경질적이었다. 다른 때 같았으면 그의 말투에대해 잔소리를 했을 텐데 오늘은 그에게 할 말이 없다.

예수를 보려고 온 가족이 옆 마을까지 왔는데. 그러나 그냥 돌아가는 것 말고는 다른 방법이 없었다. 대화는 고사하고 오히려 쫓겨나는 기분이었다. 나의 마음을 더 아프게 한 것은 '다시는 예수를 안 보겠다.'는 야고보의 말이었다. 형제로 살아온 세월이 있는데 동생의 입에서 이런 말까지 나오게 되다니!

우리는 발길을 돌려 나사렛을 향해 힘없이 걸었다. 아직도 예수가 있는 집 쪽으로 발걸음을 재촉하는 사람들을 볼 수 있었다. 그들에게 질투가 났다. 다른 사람들은 예수를 만나 대화도 하고 병 고침도 받을 수 있겠지만, 가족인 우리는 예수를 만나는 것조차 허락되지 않았다.

준비해 온 음식도 주인을 만나지 못하고 처량하게 돌아가고 있었다. 아무도 배가 고프다거나 음식을 먹자고 말하지 않았다. 모두 말없이 터벅터벅 걷기만 했다.

어쩌면 예수를 다시는 볼 수 없을지 모른다. 동생들이나 내가 예수를 먼저 찾아가는 일은 없을 것이다. 예수에게 거절당하는 것은 한 번이면 충분했다. 예수가 다시 고향을 찾아온다 해도 어쩌면 동생들이 만나는 것을 거부할지 모른다. 가족의 인연은 이렇게 끝나는 것인가?

왜 예수는 사람들 앞에서 가족을 망신 주는 그런 말을 했을까? 하나님의 일을 위해 사사로운 감정에 빠지지 않기 위해서? 그러나 우리 가족이 예수를 따라다니며 귀찮게 하거나 적어도 그가 하는 일에 방해가 된 적은 한 번도 없었다.

예수를 어떻게 이해해야 하나? 그가 나의 아들이고 형이고 오빠라면 절대로 사람들에게 그렇게 말해서는 안 됐다. 만약 사람들에게 뭔가를 가르치기 위해서라고 해도 다른 때에 다른 방법을 찾았어야 했다. 그가 한 말은 평생 지울 수 없는 아픔으로 남을 것이다. 오늘 우리는 예수에게 어머니나 동생이 아니었다.

예수를 생각하며 했던 행복한 말과 상상들은 오히려 아픈 기억이 되고 말았다. 길을 걷는 동안 우리는 아무 말도 하지 않았다. 무슨 말을 할 수 있단 말인가? 아무리 거절당했다고 하더라도 형이나 오빠를 계속 욕할 수는 없었다.

나사렛이 가까워지자 마음이 무거워졌다. 오늘 있었던 일을 마을 사람들도 소문을 통해 곧 알게 될 것이다. 사람들은 뭐라고 할까? 집에 돌아온 후 우울한 날들이 이어졌다. 겉으로는 평범한 일상이었지만 무엇을 해도 힘이 나지 않았다. 지워버리려 해도 그날의 일은 마음속에 또렷이 각인되어 악몽처럼 나를 힘들게 했다.

빌라도

AD 33, 유대 예루살렘

유월절을 위해 동생 아비가일과 함께 예루살렘에 왔다. 유월절 하루 전에 도착했는데 이곳 분위기가 다른 때와는 사뭇 달랐다. 사람들은 모두 예수에 관해 이야기하고 있었고 그는 화제의 중심이었다.

사람들의 말에 의하면, 예수는 제사를 위해 매매하는 동물들을 성전에서 쫓아내고 환전하는 사람들의 상을 엎었다. 장사하는 사람들이 예수 때문에 장사를 망치게 되자 대제사장에게 달려가 예수를 막아 주든지 아니면 계약한 돈을 돌려 달라고 항의했다. 그래서 예루살렘의 종교 지도자들이 예수에게 매우 화나 있었다.

서기관과 바리새인들도 예수를 원수처럼 미워하고 있었다. 평소에도 이들이 가르치는 내용이 틀렸다고 말하곤 해서 갈등이 심했었다. 그런데 며칠 전 이곳 예루살렘에서 그들을 외식하는 자, 독사의 자식, 그리고 눈먼 소경이라고 비난하며 많은 사람 앞에서 그들의 잘못을 지적했다.

예루살렘 근처 베다니에 사는 나사로라는 사람이 죽었는데 예수가 그를 살렸다는 소문이 퍼졌다. 죽은 지 나흘이나 지났는데 예수가 명령하니까 그가 무덤에서 걸어 나왔다고 한다. 그 이야기를 들은 많은 사람이 예수가 이스라엘을 구할 메시아라고 생각했다.

가장 극적인 장면은 예수가 예루살렘에 입성할 때였다. 그는 새끼 나귀를 타고 제자들과 함께 예루살렘에 들어왔다. 사람들이 그가 지나가는 길에 종려나무 가지나 겉옷을 놓아 경의를 표했고, 호산나라고 외치며 그의 입성을 열렬히 환영했다. 그 광경은 마치 전쟁에서 승리하고 돌아온 장군의 귀환과 같았다고 한다. 그래서 로마 총독과 군인들도 봉기가 일어나지 않을까 두려운 마음으로 예수를 주시하고 있었다.

사람들에게 들은 말은 놀라웠고 예수 때문에 예루살렘은 혼란 그 자체였다. 온갖 종류의 예수에 관한 소문이 예루살렘을 뒤덮고 있었다. 사람들은 소문을 즐기며 예수가 메시아가 아닐까 기대하고 있었지만, 종교 지도자들과 로마 군인들은 걱정의 눈으로 예수를 지켜보고 있었다.

예루살렘에 도착했을 때 성전에서 가르치고 있는 예수를 볼 수 있었다. 안부를 묻고 싶었지만 많은 사람에게 둘러싸여 있어서 다가가기가 어려웠다. 또 과거에 그를 찾아갔다가 거절당한 적도 있어서 멀리서 그를 바라보기만 했다. 묵을 곳을 찾기 위해 성 밖의 순례자 천막촌으로 향했다.

다음날 새벽 주위가 시끄러워 잠에서 깼다. 사람들이 예수가 전날 밤 제자들과 감람산에 있다가 대제사장의 군인들에게 잡혀갔다고 한다. 대제사장에게 그리고 산헤드린 공회에서 심문받았고, 그 후에 그들이 예수를 빌라도 총독에게 끌고 가 고발했다고 한다. 지금은 빌라도의 재판을 기다리는 중이라고 한다. 뛰는 가슴을 부여잡고 아비가일과 함께 예루살렘으로 달려갔다.

이른 아침부터 로마군이 사용하고 있는 옛 헤롯 궁전의 앞마당은 사람들로 가득 차 있었다. 이 궁전은 가이사랴에 주재하는 로마 총독이 예루살렘에 올 때 임시 관저로도 사용한다고 한다. 새벽에 벌써 한 차례 심문이 있었고, 빌라도가 마침 명절을 맞아 예루살렘에 온 갈릴리 지방의 분봉왕인 안티파스에게 예수를 보내 심문하도록 했다고 한다. 사람들은 심문 결과를 기다리고 있었다.

사람들은 쌀쌀한 날씨에 목을 움츠리며 떨고 있었다. 그곳을 덮은 안개는 사람들을 불안 속으로 가라앉게 했다. 사람들은 상황이 어떻게 될지 이야기하며 빌라도가 다시 나오기를 기다리고 있었다.

로마에 잘못한 것이 없으니까 곧 풀려날 것이라고 말하는 사람도 있었고, 죽은 사람도 살리는 능력이 있으면서 이렇게 무기력하게 잡힐 수 있느냐고 의아해하는 사람도 있었다. 옆에 있던 남자는 로마로부터의 해방이 물 건너가는 것은 아닌지 걱정하고 있었다. 조금 후 건물 뒤로 해가 올라오기 시작하며 아침 안개를 쫓아내고 있었다.

도착해서 예수의 제자인 요한과 한 무리의 여자들을 만났다. 요한이 그녀들은 예수를 따르는 사람들이라고 소개해 주었다. 어떤 여자들이 예수를 따라다니며 필요한 것을 지원하고 도와준다는 말을 들은 적이 있었는데 바로 이 여자들이었다. 대제사장과 종교 지도자들이 군중의 맨 앞에 있는 것이 보였다.

빌라도 총독이 건물 밖으로 나왔다. 이른 아침부터 예복을 차려입은 그는 피곤한 얼굴로 의자에 앉았다. 그 뒤를 손과 발이 쇠사슬에 묶인 예수가 군인들에게 끌려 나왔다. 예수가 빨리 걷지 못하자 한 군인이 등을 세게 밀었고 그는 힘없이 앞으로 고꾸라지고 말았다. 사람들의 분노에 찬 탄성이 관정 앞마당에 퍼졌다. 군인들이 예수를 일으켜 세우고 질질 끌고 갔다. 예수는 빌라도 옆에 힘없이 서 있었다. 그가 조금씩 움직일 때마다 날카로운 쇳소리가 났다.

예수의 옷은 온통 피로 붉게 물들어 있었다. 대제사장이 예수를 고발하자 빌라도가 예수를 채찍질한 후 놓아주려고 했다고 한다. 헝클어진 머리에는 가시나무로 만든 관이 씌워져 있었고 얼굴은 피범벅이었다.

분노가 부글부글 끓어올랐다. 어떻게 재판의 결과가 나오기도 전에 채찍형을 가할 수 있단 말인가? 채찍형을 받고 그 후에 시름시름 앓다가 죽은 사람이 많다는 이야기를 들은 기억이 났다. 예수는 괜찮을까? 옷 속에 감추어져 있지만 예수의 몸이 많이 야위었다는 것을 알 수 있었다. 집을 떠나기 전에는 목수로서 건장한 체격이었는데 지금 그의 모습은 완전히 다른 사람 같았다.

빌라도가 일어나 사람들을 내려다보자 웅성거리던 사람들이 그를 주목했다. 빌라도는 헛기침을 한 번 하고 말을 시작했다.

"대제사장이 이 예수라는 자가 백성을 선동하고 스스로 왕이라고 말하며 로마에 반역했기 때문에 사형에 처해야 한다고 고발했다. 그래서 새벽에 직접 심문했고 또 갈릴리의 왕인 헤롯 안티파스에게 보내서 심문하도록 했다. 그러나 나도 헤롯도 그에게 사형을 선고할 만한 죄를 발견하지 못했다. 어쨌든 대제사장이 죄인이라고 고발했기 때문에 그에게 채찍형을 가했다. 이 자를 보아라, 이 정도면 충분하지 않은가?"

빌라도의 말은 적당히 거칠었고 메마른 음색이었다. 말은 느릿느릿했지만 위엄이 있었다.

"그는 죽어야 합니다. 그는 자칭 유대인의 왕이라고 하며 스스로 왕이 되고자 했습니다. 로마에 반역을 도모한 자를 어떻게 죄가 없다고 할 수 있습니까? 그는 죽어야 합니다."

누군가가 소리쳤다. 소리 나는 쪽을 돌아보다가 다리에 힘이 풀려 그 자리에 주저앉을 뻔했다. 소리친 사람은 바로 나사렛의 회당장인 안드레였다. 그가 왜 이곳에서 예수를 죽이라고 소리치고 있지? 예수를 임신했을 때 그가 신성모독이라고 소리치며 사람들을 선동해 돌 맞아 죽을 뻔한 일이 있었다. 그 후에도 예수와 나를 좋게 생각하지 않았다. 그러나 왜 안드레가 고향에서 멀리 떨어진 이곳 예루살렘까지 와서?

몇몇 사람들이 안드레를 따라 예수를 죽이라고 소리치기 시작했다. 눈물이 뺨을 타고 흐르기 시작했다. 예수가 도대체 그들에게 무슨 잘못을 했기에 그를 죽이라고 소리치나? 이미 죽어가는 사람의 모습인데 아직도 부족하단 말인가? 빌라도가 손을 들자 사람들이 다시 조용해졌다.

"그가 로마에 반역하라고 사람들을 선동하거나 군사를 모아 반란을 도모한 증거는 전혀 없었다. 그는 다만 하나님의 나라라는 것을 사람들에게 가르치고 자신이 그 나라의 왕 그리스도라고 주장했다고 한다."

빌라도의 거침없는 말은 차분했다.

"그는 자기가 하나님의 아들이라고 주장했고 율법에 따르면 그는 마땅히 죽어야 합니다."

대제사장이 이렇게 소리쳤고 빌라도의 얼굴이 순간 찡그려졌다.

"그가 너희 종교를 기준으로는 죄를 지었는지 모르지만, 로마의 법으로는 사형을 선고할 만한 죄를 지은 것이 없다. 그러니 너희 종교법으로 알아서 처리하도록 하라."

"그는 죽어 마땅한 죄를 지었지만 우리는 죄인 예수를 사형에 처할 수 없습니다. 그러니 그에게 사형을 선고해 주십시오."

대제사장은 예수를 죽이기 원했지만 그럴 수 없었다. 분봉왕과 산헤드린 공회는 그들의 법정에서 판결하고 형을 집행할 수 있지만, 사형만은 로마의 법정을 통해야 한다는 말을 들은 기억이 있다. 제발 빌라도 총독이 자신이 조사한 결과대로 판결하기를 빌었다.

"다시 말하지만 그에게서 사형을 선고할 만한 어떤 죄도 찾지 못했다."

"그는 우리 민족을 잘못된 길로 인도하고 있습니다. 황제에게 세금을 바치지 말라고 사람들을 선동했고, 자기가 왕이라고 주장하며 로마에 반역을 도모한 자입니다. 그가 어찌 죄가 없다고 말할 수 있습니까? 그는 죽어야 합니다."

대제사장의 말이 끝나자마자 사람들이 예수를 죽이라고 또다시 외치기 시작했다.

빌라도의 옆에 있던 군인이 빌라도에게 다가가 귓속말을 했다. 빌라도의 얼굴에 한줄기 웃음이 퍼졌다. 빌라도가 손을 들어 다시 사람들을 조용히 시켰다.

"예수가 황제에게 세금을 바치지 말라고 선동했다고 고발하는데, 그가 이번 주 바로 이곳 예루살렘에서 로마에 세금을 내야 한다고 사람들을 가르쳤다고 한다. 또 평소에는 원수까지도 사랑하라고 가르쳤다고 한다. 이렇게 가르쳤다는 그가 어떻게 로마에 반역했다는 말인가?"

관정 앞마당에 정적이 흘렀다. 대제사장을 비롯한 종교 지도자들이 당황하며 서로 속삭이기 시작했다.

빌라도의 말이 맞다. 예수가 가르치는 내용은 소문을 들어 알고 있지만, 로마에 반역해야 한다고 가르쳤다는 말은 들어본 적이 없었다. 예수가 만약 그런 내용을 가르쳤다면 벌써 로마가 예수를 가만 놔두지 않았을 것이다. 로마가 사람들의 동태를 살피기 위해 밀정을 심어 놨다는 것은 잘 알려진 사실이다. 예수같이 유명한 사람이 로마에 반대하는 말을 했다면 로마 군인들이 모를 리가 없었다.

'원수를 사랑하라!'는 예수의 가르침을 들었을 때 사람들은 제일 먼저 로마를 떠올렸을 것이다. 이스라엘을 지배하며 우리 민족을 고통 가운데 있게 하는 로마는 원수이기 때문이다. 그래서 사람들이 예수의 가르침을 좋아하면서도 때로는 어려워한다고 들었다. 예수는 로마에 반역한 적도 절대 반역할 생각도 없었다.

종교 지도자들과 이야기를 마친 대제사장이 말을 시작했다.

"이 자를 놓아주면 황제의 충신이 아닙니다. 누구든지 자기를 왕이라고 하는 사람은 황제에게 반역하는 것입니다. 이 사실을 황제가 알기 원하십니까?"

빌라도가 놀라며 옆에 있는 군인을 쳐다봤다. 그 군인도 놀라 입을 다물지 못했다. 그때 대제사장이 안드레를 보며 고갯짓하자 그가 예수를 죽이라고 다시 소리치기 시작했고, 사람들이 그를 따라 외치기 시작했다.

빌라도는 로마의 총독이고 이스라엘 땅의 최고 권력자이다. 단순히 사람들이 소리친다고 자신의 조사 결과와 다르게 판결할 리가 없다. 로마의 정의가 사람들이 외치는 소리에 바뀔 리가 없다. 죄가 없으니까 분명 빌라도는 예수를 풀어줄 거야. 그러나 무기력한 모습으로 앉아 고민하는 빌라도를 보자 불안해지기 시작했다.

멈추었던 눈물이 다시 흐르기 시작했다. 도대체 이 사람들은 왜 예수를 죽이라고 소리치나? 도대체 예수가 그들에게 무슨 잘못을 했단 말인가? 예수는 사람들을 가르치며 병도 고쳐주고 때로는 먹을 것도 주곤 했다는데.

결심한 듯 빌라도가 일어서자 조용해지며 사람들이 다시 그를 주목했다. 이때가 기회였다. 예수를 이렇게 허무하게 죽도록 놔둘 수는 없었다. 뭔가를 해야만 했다. 모든 사람이 예수의 죽음을 원하는 것은 아니라는 것을 빌라도가 알도록 해야 했다.

"예수는 잘못한 것이 없습니다. 로마에도 이스라엘의 법으로도 그는 무죄입니다."

내 떨리는 목소리가 사람들 사이로 퍼져 나갔다. 사람들은 목소리의 주인공인 여자를 찾았고, 모든 사람의 시선이 일제히 나에게 쏠렸다. 빌라도의 얼굴에 엷은 미소가 번졌다. 주위를 조심스럽게 둘러보다가 안드레와 눈이 마주쳤고 그는 깜짝 놀란 표정이었다. 빌라도가 뭔가 말하려는 순간 안드레의 외치는 소리가 들렸다.

"저 여자는 바로 죄인 예수의 어머니입니다. 자기 아들을 살리기 위해 지금 거짓말을 하고 있습니다. 이스라엘 사람이라면 누구나 예수가 죽을죄를 지었다는 것을 압니다. 예수는 죽어야 합니다."

또다시 사람들이 그의 말을 따라 예수를 죽이라고 외치기 시작했다.

"예수는 무죄입니다. 제발 예수를 살려주세요."

나의 간절한 외침은 사람들의 소리에 묻히고 말았다. 목이 쉬더라도 악다구니를 하더라도 더 크게 소리쳐야 한다는 생각이 들었다. 그러나 서러운 울음이 나기 시작하며 외치기는 고사하고 숨이 막혀왔다. 예수를 위해 아무것도 할 수 없다는 좌절감 때문에 사람들을 향한 분노만이 가슴 속에서 끓어올랐다. 나에게 희망은 로마의 법과 정의 그리고 빌라도뿐이었다. 그가 자신이 조사한 결과대로 판결해 주기를 바랄 수밖에 없었다.

빌라도가 옆에 있는 군인에게 귓속말을 하자 군인들이 한 남자를 끌고 나왔다. 그는 매서운 눈매의 건장한 체격이었고 포승줄에 묶여 있었다. 그가 나타나자 사람들이 웅성거리기 시작했다.

"너희 명절에 죄인 한 명을 풀어주는 관습이 있는 것을 너희도 알 것이다. 여기 민란을 일으키고 살인을 저지른 바라바라는 죄수가 있다. 예수와 바라바 중 누구를 놓아주기 원하는가?"

"바라바를 놓아주십시오."

대제사장이 소리쳤고 사람들이 그를 따라 "바라바를 놓아주십시오!"라고 소리쳤다. 빌라도가 다시 사람들에게 물었다.

"그렇다면 유대인의 왕이라는 예수는 어떻게 하기를 원하느냐?"

"로마 황제 외에는 우리에게 왕이 없습니다. 그를 십자가에 못 박으십시오!"

대제사장이 이렇게 소리치자 사람들도 "십자가에 못 박으시오!"라고 외치기 시작했다. 사람들은 어느새 박자를 맞추어 가며 "십자가에 못 박으시오!"라고 소리치고 있었다. 곧 풀려날 것이라고 말하던 사람도 이스라엘의 해방을 걱정하던 사람도 모두 "십자가에 못 박으시오!"라고 소리치고 있었다. 박자에 맞추어 외치는 소리는 증폭돼서 이곳 아니 온 예루살렘에 울려 퍼졌다.

예수는 표정 없이 고개를 들고 계속 하늘을 응시하고 있었다. 이곳에서 벌어지고 있는 상황과는 아무 상관없는 사람 같은 모습이었다. 오히려 옆에서 안절부절못하고 있는 빌라도와 묘한 대조를 이루었다. 마치 예수가 심판장이고 빌라도가 죄수인 것같이.

사람들은 지칠 줄 모르고 계속 "십자가에 못 박으시오!"라고 외쳐 댔다. 로마 군인들이 칼을 빼 들고 사람들을 위협했지만 군인들의 얼굴에도 두려움이 있었다. 군인들의 위협에도 "십자가에 못 박으시오!"라는 외침은 점점 더 커질 뿐이었다.

그들은 일그러진 얼굴로 악을 쓰고 있었다. 그들은 조금 전까지 예수를 염려하고 이스라엘의 해방을 걱정하던 사람들이 아니었다. 그들에게는 무엇을 향한 것인지 알 수 없는 분노와 저주만이 남아 있었다.

문득 그들이 갈구하는 것이 예수의 피라는 생각이 들었다. 그들은 피에 굶주린 맹수들이었고, 예수가 비참하게 죽기를 원하고 있었다. 마치 예수가 피 흘리며 죽는 것이 그들의 인생에서 중요한 문제인 것처럼. 두려움에 눈을 감고 귀를 막았다. 그 순간 십자가에 못 박혀 있는 예수의 모습이 떠올랐다. 심장이 멎는 것 같았다.

"안돼, 안돼, 안돼……"

눈을 뜨며 나도 모르게 악을 썼으나 사람들의 외침에 묻히고 말았다. 사람들을 노려보던 빌라도가 옆에 있는 군인에게 속삭였다. 조금 후 군인이 큰 물그릇 하나를 가지고 와서 빌라도 옆에 섰다. 사람들이 외치는 소리가 잦아 들었다. 빌라도는 물에 손을 씻으며 말했다.

"좋다, 그렇다면 나는 예수의 죽음에 대해 죄가 없다. 이 사람의 피에 대해서는 너희가 책임을 져야 할 것이다."

빌라도의 목소리에는 두려움이 담겨 있었다. 그의 두려움이 전해지며 나를 절망 속으로 몰아넣었다.

"그의 죽음에 관한 책임을 우리와 우리 후손에게 돌리십시오."

대제사장이 소리쳤다.

"그렇다면 너희가 원하는 대로 하겠다. 바라바는 풀어주고 예수는 십자가형을 선고한다."

빌라도는 이렇게 판결하고 건물 안으로 들어가 버렸다. 군인들이 예수도 건물 안으로 끌고 들어갔다.

털썩 주저앉고 말았다. 어떻게 이 땅의 최고 권력자인 로마 총독이 자신의 조사 결과와 다르게 판결할 수 있단 말인가? 이 재판에서 빌라도는 단지 나약하고 두려움에 가득 찬 겁쟁이일 뿐이었다. 로마의 정의는 그렇게 사라졌다.

울고 있던 동생 아비가일과 막달라 마리아가 나를 안았다. 우리가 할 수 있는 것은 서로 껴안고 울고 위로하는 것밖에 없었다.

예수는 결국 허무하게 십자가에서 죽게 되나? 예수가 무슨 잘못을 했고 무슨 죽을죄를 지었단 말인가? 사람들이 원망스럽고 빌라도가 원망스럽고 세상이 원망스러웠다. 예수는 십자가에서 죽게 되었는데 나는 엄마로서 아무것도 한 게 없었다.

십자가

AD 33, 유대 예루살렘

예수는 십자가의 가로 기둥을 짊어지고 골고다를 향해 무거운 발걸음을 옮기고 있었다. 아침 햇살이 언덕길의 돌 바닥을 서서히 달구기 시작했다.

요한과 막달라 마리아는 나에게 골고다에 갈 생각 말고 돌아가라고 말했다. 동생 아비가일도 그들의 말을 거들며 돌아가자고 말했지만 그럴 수 없었다. 예수의 마지막을 보며 그와 함께하고 싶었다.

그러나 솔직히 두려웠다. 내 배 아파서 낳고 내 손으로 키운 자식이 비참하게 처형당하는 모습을 어떻게 맨정신으로 볼 수 있겠는가! 그러나 한편으로 '어떤 기적이 일어나지 않을까?' 라는 한

가닥 희망이 떠올랐다. 예수는 죽은 사람도 살렸다고 한다. 그런 능력이 있는 예수가 이렇게 허무하게 십자가에서 절대 죽을 리가 없다.

길가에는 예수를 보려는 사람들로 가득했다. 로마 군인들은 사람들이 예수에게 다가가지 못하게 창으로 거칠게 밀며 막았다. 예수는 나무 기둥의 무게에 짓눌려 땅만 쳐다보며 쓰러질 듯 힘겹게 언덕길을 오르고 있었다. 헝클어진 머리카락 사이로 땀과 피가 흘러내렸다. 예수 뒤로 다른 죄수 둘이 마찬가지로 가로 기둥을 메고 올라가고 있었다.

나무 기둥이 돌 바닥에 끌리며 먼지가 날아올랐고 끽끽 소리가 났다. 언덕길을 힘겹게 오르는 예수는 가다가 넘어지기를 반복했다. 예수가 힘없이 넘어질 때마다 나무 기둥도 쿵 소리와 함께 나뒹굴었다. 그에게 달려가 도와주고 싶었지만 로마 군인들이 가로막았다. 결국, 군인들이 길가에서 구경하던 한 사람을 끌고 와 예수 대신 십자가 기둥을 짊어지고 가도록 했다.

아침 아홉 시쯤 골고다에 도착했다. 아침 햇살이 눈 부시게 환히 비추고 있었지만 그곳의 암울한 분위기를 지울 수는 없었다. 흙 내음에 섞인 피비린내가 진동했고 처형 장소 주위에는 핏자국이 사방에 흩어져 있었다. 머리 위로는 까마귀 떼가 날아 다녔고 바람이 휘몰아칠 때마다 먼지가 날렸다.

로마 군인들은 가로 기둥을 그곳에 있던 세로 기둥에 연결해서 십자가 모양으로 만들었다. 군인들이 예수와 다른 두 죄수의 옷을 벗겼다. 웅크린 예수의 몸에는 채찍에 맞아 생긴 벌어진 상처들이 온몸을 덮고 있었다. 왼쪽 팔에는 살점 하나가 떨어져 나와 몸에 겨우 덜렁덜렁 붙어 있었다. 정신이 혼미해지며 구역질이 났다.

군인들이 예수를 십자가에 뉜 후 못을 박기 시작했다. 못 박는 모습을 차마 볼 수 없어서 눈을 감았다. 그러나 망치 소리는 오히려 더 크게 증폭되어 내 가슴에도 못을 박기 시작했다. 예수의 날카로운 비명이 들렸고 그가 겪고 있는 고통이 나에게도 전해졌다. 귀를 두 손으로 막았다. 그러나 망치 소리는 손을 뚫고 마치 죽음의 사자처럼 귓속으로 파고들었다.

아들 예수가 고통 속에 신음하고 있는데 엄마인 내가 그를 위해 할 수 있는 것은 아무것도 없었다. 그의 아픔을 누그러뜨릴 수만 있다면 나는 무슨 짓이라도 할 것이다. 차라리 그를 대신해 내가 십자가에 못 박힐 수 있다면 아마 웃으며 그 고통을 견딜 수 있을 것이다.

눈을 떠 보니 군인들이 십자가를 세우기 위해 밧줄을 이용해 십자가를 구덩이로 집어넣고 있었다. 예수의 십자가 위에는 '유대인의 왕'이라고 쓰여진 패가 붙어 있었다. 십자가가 구덩이에 쿵 떨어지자 예수의 몸이 심하게 흔들렸고 순간 예수의 얼굴이 일그러졌다.

손목과 다리의 못 박힌 자리로부터 피가 계속 흘렀다. 이미 말라버린 핏자국 위로 새롭게 흐른 피가 선명하게 대조되며 햇빛에 어둡게 반짝였다. 흐르는 피는 마치 핏자국이 없는 곳을 찾는 것처럼 팔과 몸통을 점점 더 빨갛게 물들여 갔다. 발끝에 모인 피가 떨어지며 땅을 검붉게 물들였다. 신선한 피비린내가 덮쳐왔다.

예수의 처참한 모습을 계속 쳐다볼 수 없어 또다시 눈을 감았다. 숨이 막히며 현기증이 났다. 순간 중심을 잃고 넘어지려는 것을 동생 아비가일이 부축해 주었다. 우리는 땅에 그대로 주저앉았다. 대지의 차갑고 스산한 기운이 전해졌다.

아침 햇살을 통해 드리워진 십자가의 그림자가 점점 나에게 다가왔다. 예수가 그림자를 통해 나를 위로하려는 것이 아닌가라는 생각이 들었다. 그러나 그림자가 나를 덮기 시작하자 오히려 예수가 겪고 있는 몸이 찢기는 고통이 전해지는 것 같았다.

예수는 때로는 하늘을 응시하기도 했지만, 조용히 고개를 숙인 채 아무 소리도 내지 않았다. 한 번씩 그의 몸이 심하게 떨렸고 그 모습을 볼 때마다 나의 몸도 함께 전율했다. 얼굴이 일그러졌다가 돌아오기를 반복했지만, 예수는 소리 없이 고통의 무게를 견디고 있었다.

예수 좌우에 매달린 강도들은 흉측한 얼굴로 때로는 소리를 지르거나 군인들을 저주하곤 했다. 저 강도들은 무슨 죄를 지어서 십자가형을 받는 것일까? 십자가형은 중죄인에게만 주어진다고 하는데, 왜 죄 없는 예수는 이들과 함께 십자가형을 당해야 하나!

아비가일, 요한 그리고 그와 함께 온 여자들은 숨죽인 채 예수를 바라보았다. 분노가 가득한 얼굴에는 눈물이 마르지 않았다. 그러나 십자가 반대편에 자리 잡은 대제사장과 종교 지도자들 그리고 안드레는 웃으며 큰 소리로 떠들고 있었다.

"성전을 헐고 사흘 만에 짓겠다는 자야, 네가 하나님의 아들이면 네 자신이나 구원하고 십자가에서 내려와라."

제사장 중 한 명이 그들에게 가며 예수를 모욕했다.

"그가 다른 사람은 구원하면서 자기는 구원하지도 못하네. 이스라엘의 왕이라는 자야, 당장 십자가에서 내려와 보아라. 그러면 우리도 믿을 것이다."

안드레가 웃으며 소리쳤고 대제사장이 이어서 말했다.

"하나님을 믿고 또 자기가 하나님의 아들이라 했으니 하나님께서 기뻐하신다면 이제 구원하실 것이다."

그들의 웃고 떠드는 소리가 골고다를 덮었다. 아, 사람이 이렇게까지 잔인할 수 있단 말인가, 그것도 종교 지도자라는 사람들이! 그들을 향한 분노가 마음속으로부터 거칠게 올라왔다. 아니 그들뿐 아니라 예수를 죽이라고 소리친 사람들 그리고 예수가 죄 없이 십자가에서 죽어가는데도 침묵하는 세상을 향한 분노였다. 그들을 절대 용서할 수 없었다.

예수가 고개를 돌려 종교 지도자들을 쳐다보았다.

"아버지, 이 사람들을 용서해 주십시오. 저들은 자기들이 하는 일을 모르고 있습니다."

고통 가운데 힘겹게 내뱉는 말이었지만 그의 목소리는 골고다에 맑게 울려 퍼졌다. 조롱하던 자들의 얼굴에 놀람과 의아함이 나타났다. 예수를 이해할 수 없었다. 십자가에서 죽어가는데 어떻게 자신을 모함하여 죽이는 사람들을 위해 용서해 달라는 기도를 할 수 있단 말인가!

예수의 몸은 점점 파리하게 핏기가 없어져 갔고 팔은 늘어나 길어졌다. 예수는 점점 숨 쉬는 것도 힘들어했고 나의 가슴도 함께 죄어왔다.

예수를 계속 쳐다볼 수 없어 눈을 감았다. 천사를 만났을 때부터 겪었던 여러 일이 떠올랐다. 엘리사벳은 예수를 주님, 목동들은 그리스도, 그리고 동방박사들은 이스라엘의 왕이라고 말했다. 무엇보다 천사는 예수가 하나님의 아들이라고 말했다. 그들이 한 말이 어떤 의미이든지 예수가 이렇게 허무하게 죽을 리가 없다. 예수는 자신의 존재와 능력을 가장 극적으로 보여주기 위해 이런 십자가의 과정을 겪고 있는 것이 틀림없다. 그는 분명히 십자가에서 내려올 것이다.

갑자기 양의 모습이 떠올랐다. 예수를 임신했을 때 나타났던 그 양이었고 여전히 파리한 몸이었다. 깜짝 놀라 눈을 떴다. 양은 사라지고 십자가에 매달려 있는 예수가 보였다. 다시 눈을 감았다. 또다시 양이 나타났다. 그런데 양은 더 이상 슬픈 눈이 아니었다. 오히려 기쁨에 찬 눈이었다. 양이 나타난 것도 알 수 없었고 양의 기뻐하는 듯한 모습은 더 이해할 수 없었다. 예수는 이렇게 비참하게 고통 가운데 죽어가고 있는데. 양이 보기 싫어 다시 눈을 떴다. 양이 사라진 그곳에는 예수가 있었다.

갑자기 기괴한 일이 발생했다. 열두 시쯤 되자 해가 사라지고 사방이 깜깜해졌다. 사람들은 비명을 지르며 어둠 속에서 어찌할 줄 몰라했다. 로마 백부장의 불을 밝히라는 명령과 뛰어다니는 군인들에게서 나는 철렁이는 쇳소리가 사람들을 더 불안에 떨게 했다. 어둠이 자아내는 공포가 사람들을 압도하고 있었다. 그곳은 혼란 그 자체였다. 마침내 군인들이 불을 밝히기 시작하자 혼란의 상황은 조금씩 진정되어 갔다.

어둠과 공포에 넋이 나간 초점 잃은 눈들이 주위를 조심스럽게 두리번거리고 있었다. 흔들리는 불빛에 비친 군인과 사람들의 얼굴에는 두려움이 가득했다. 한낮에 갑자기 해가 사라지다니!

아비가일은 하나님이 노하셔서 이런 천재지변이 일어나는 것이라고 말했다. 이것이 하나님께서 예수를 살리기 위한 기적을 행하시는 과정의 시작이기를 바랐다. 혹시나 해서 예수를 쳐다보았지만 그는 놀라는 기색도 표정의 변화도 없이 고개만 숙인 채 한 곳을 응시하고 있었다.

시간은 속절없이 흘러갔지만 예수는 아직도 십자가에 매달린 채였다. 군인들이 밝힌 불이 하나둘 꺼지기 시작했고 주위는 다시 조금씩 어두워지기 시작했다. 꺼져가는 불들과 함께 붙잡고 있던 희망의 끈도 하나둘씩 끊어지고 있었다.

오후 세 시쯤 예수는 고개를 들어 하늘을 쳐다보기 시작했다. 예수는 조금 전까지의 고통스러운 얼굴이 아니었다. 그가 지그시 눈을 감더니 다시 눈을 뜨며 크게 외쳤다.

"다 이루었다."

예수는 이 땅에서의 마지막 숨을 쉰 후 고개를 떨구었다.

예수가 죽었다. 내 아들 예수가 죽었다.

기적이 일어나기를 바랐는데 예수는 결국 허무하게 죽고 말았다. 엄마인 내가 그의 손을 꼭 잡고 가지 못하게 막았어야 했는데 그를 끝까지 지켜주지 못했다. 내가 그를 떠나가게 했다. 그의 죽음과 함께 나의 삶도 끝났다.

천둥 번개가 치고 땅이 진동하기 시작했다. 아직 남아 있던 불들도 모두 꺼졌다. 어둠 가운데 번개가 번쩍일 때마다 사람들은 거칠게 비명을 질러 댔다. 땅이 심하게 흔들렸고 사람들은 나무나 돌을 붙잡고 넘어지지 않기 위해 몸부림쳤다. 하나님의 아들은 죽었고 그렇게 온 천지가 그의 죽음을 슬퍼하고 있었다. 땅의 진동이 가라앉자 태양이 다시 나타나 대지를 비추기 시작했다.

바라던 기적은 일어나지 않았다. 하나님은 기적을 행하실 수 있는 분이다. 예수가 십자가에서 죽지 않도록 하실 수 있는 분이다. 그런데 왜? 예수를 잃어버렸다는 상실감에 쓰러지고 말았다.

눈을 떠보니 군인들이 예수와 두 강도를 십자가에서 내릴 준비를 하고 있었다. 흐릿한 의식 속에서도 예수를 장사 지내야 한다는 생각이 떠올랐다. 그것만이 내가 그에게 해줄 수 있는 마지막 일이었다. 그러나 어떻게 이 객지에서 갑자기 장사를 치를 수 있을까?

십자가 옆에 사람들이 모여 이야기를 하고 있었다. 막달라 마리아가 내게 와서 산헤드린 공회원인 요셉이라는 사람이 예수를 매장해도 된다는 허락을 빌라도에게 받았다고 한다. 이윽고 그도 와서 자신에게 새 무덤이 있는데 그곳에 예수를 매장해도 되겠느냐고 물었다. 매장할 수 있는 무덤이 있어서 다행이었다. 그에게 고맙다고 말했다.

군인들이 예수의 시체를 요셉에게 건네주는 것을 보고 아비가 일의 부축을 받으며 그곳으로 갔다. 예수는 처참한 모습으로 땅에 누워있었다. 몸 전체가 온통 상처와 핏자국으로 덮여 있어서 몸에 성한 부분이 없었다. 앉아서 예수를 안았다. 몸은 차갑고 가벼웠다. 예수를 꼭 안고 눈을 감았다.

사랑하는 예수,

미안하다! 나는 죽어가는 너를 지켜보고만 있었다. 네가 고통 가운데 신음하는데도 나는 아무 도움도 주지 못했다. 내가 너를 붙잡지 못했고 이렇게 그냥 떠나보내고 말았다. 그리고 이제 너의 축 처진 차가운 몸을 안는 것 말고는 할 수 있는 것이 없구나.

너는 나에게 가장 소중한 하나님의 선물이었다. 그리고 언제나 나에게 기쁨을 주는 아이였다는 것을 지금이라도 너에게 전하고 싶구나. 너는 항상 나의 마음 속에 살아 숨 쉴 것이다. 너는 하나님의 아들이니까 지금은 하나님 곁에 평안하게 있겠지?

나의 사랑하는 아들 예수,

천국에서 다시 만날 때까지 안녕!

감은 눈 사이로 눈물이 흘렀다. 예수는 하나님의 아들이니까 당연히 천국에 갔을 것이다. 하나님께서 계획하신 일을 다 마쳤으니까 그를 데려가셨을 것이다. 그래서 마지막에 "다 이루었다!"라고 소리쳤을 것이다.

요셉과 함께 온 사람들이 예수를 무덤으로 옮기기 시작했다. 나도 따라가 무덤에서 예수의 마지막을 보고 싶었다. 그러나 몸이 쇳덩이처럼 무거워 생각처럼 움직이지 않았고 걸을 힘이 없었다. 예수를 옮기는 사람들이 무덤은 멀지 않은 곳에 있다고 말했지만, 나에게는 가까운 거리가 아니었다.

아비가일이 나를 부축하며 함께 걸었지만 젊은 사람들의 걷는 속도를 맞출 수 없었다. 그렇다고 그 사람들이 나의 속도에 맞추어 천천히 걸을 수도 없었다. 어느덧 해가 지며 안식일 시작이 가까워서 예수의 시체를 빨리 무덤으로 옮겨야 했다. 시간이 없었다. 그들은 점점 더 멀어져만 갔다. 막달라 마리아가 매장하는 것을 보고 나중에 무덤의 위치를 알려 주겠다고 말했다. 어쩔 수 없이 아비가일과 함께 천막촌으로 돌아왔다.

차가운 바닥에 지친 몸을 뉘었다. 이렇게 예수와 마지막 이별을 했다. 예수가 죽었다는 사실을 믿을 수가 없었다. 겁에 질린 짐승같이 웅크리고 눈물만 흘렸다. 이 믿기지 않는 처참한 현실을 어떻게 받아들여야 한단 말인가!

회상

AD 42, 갈릴리 나사렛

누가라는 사람이 찾아와 예수님에 관해 물었다. 누가는 안디옥 출신의 그리스인으로 의사이고 역사에 관심이 많은 키 크고 건장한 청년이었다. 날 선 콧등에 부드러운 눈매의 서글서글한 인상이었고 웃을 때마다 살짝 패인 보조개가 함께 웃었다. 그는 예수님에 관한 것을 조사해서 그분의 이야기를 자료로 남기기 원한다고 말했다.

예수님이 십자가에서 죽은 지도 벌써 십 년 정도 됐다. 과거의 일이지만 사람들은 아직도 예수님이 하신 사역과 가르침에 관해 이야기하고 있었다. 사람들이 이미 예수님에 관해 잘 알고 있다고 생각했는데, 누가라는 사람이 예수님의 탄생과 어린 시절의 이야기를 나에게 듣기 위해 찾아왔다. 갑자기 찾아와 물어보는 것이 당황스러웠지만, 나이 육십이 넘은 할머니의 잊혀 가는 기억이 머릿속에서 영원히 사라지지 않게 할 수 있다는 생각에 한편으로는 고마웠다.

"부활하신 예수님을 만난 사람들이 많았다고 들었는데, 혹시 부활하신 예수님을 직접 만나셨나요?"

천사가 방문한 때부터 십자가까지의 이야기를 하고 나자 누가가 꼬고 있던 다리를 풀며 이렇게 물었다. 이야기를 듣는 동안 몇 번인가 그의 눈가가 촉촉해지는 것을 볼 수 있었다.

"만났지요."

"기쁘셨겠습니다. 예수님을 다시 만나셔서."

"기뻤지요. 그런데……"

부활한 예수님을 만났던 날이 생생하게 기억났다. 기쁘면서도 두려운 경험이었다. 숨을 가다듬고 말했다.

"부활하신 예수님을 만난 경험은 좀 특별했습니다. 처음에는 살아난 아들을 다시 만났다는 사실에 정말 기뻤습니다. 그러나 예수님과 이야기하면서 그분을 아들로 생각하며 대화할 수 없었습니다. 부활하신 예수님은 더 이상 내가 알던 아들이 아니었습니다. 겉으로 보기에 바뀐 것은 없었지만 그분에게서 내가 알지 못했던 능력과 권위가 느껴졌습니다. 그분을 내 아들이라고 생각할 수 없다는 것을 깨달았습니다. 그래서 그 후부터 그분에 대한 호칭도 바뀌었습니다. 아들이나 예수가 아니라 주님이나 예수님으로."

누가가 고개를 끄덕이며 미소를 지었다.

누가는 잠시 생각에 잠기는 듯하더니 이런 질문을 했다.
"예수님과 어머니를 괴롭히던 안드레라는 사람은 어떻게 되었습니까?"
"안드레도 부활한 예수님을 직접 만나 회개하며 많이 울었다고 합니다. 그 후 사람이 완전히 변해 예루살렘 교회를 섬겼고 교회의 박해가 시작되자 고향인 나사렛으로 돌아갔지요. 지금은 그가 이곳 나사렛 교회의 지도자입니다."
"스데반 집사의 순교 후에 있었던 예루살렘 박해를 말씀하시나요?"
"맞아요. 안드레와 종교 지도자들은 예수님을 죽이기 위해 사전에 모의했고, 그래서 빌라도 법정에서 그가 나서서 사람들을 선동했다고 합니다. 박해가 시작되자 그가 종교 지도자들을 찾아가 부활한 예수님을 만났던 일을 이야기하며 박해를 멈추어 달라고 부탁했다고 합니다. 그러나 예수님을 하나님의 아들이라고 말했다고 오히려 신성 모독으로 돌 맞아 죽을 뻔했다고 합니다. 안드레는 신성모독이라는 말로 우리를 괴롭히더니, 결국 자신도 신성모독으로 돌 맞아 죽을 뻔했으니…"
누가와 나는 서로 쳐다보며 웃음을 터트렸다.
"인생 참 알 수 없네요.…… 안드레라는 분은 어머니에게 과거의 일을 뭐라고 말하며 용서를 구하던가요?"
안드레를 다시 만났던 날이 선명하게 떠올랐다. 나이가 들며 기억력이 나빠져 많은 것들이 머릿속에서 사라졌다. 그러나 세월이 기억을 지우는 것은 선택적인 것 같다. 안드레 때문에 겪었던 아픈 기억들은 깊이 각인되어 있어서인지 그를 만났을 때 몸이 먼저 떨리기 시작했다. 봉인되어 있던 상하고 깨지고 아픈 기억들이 먼저 떠올랐다. 예수님과 내가 그 사람 때문에 겪은 고통이 있는데 그를 그렇게 간단히 용서할 수는 없었다.

"그가 나를 찾아와 용서를 구했지만 그날은 그냥 돌아가라고 말했습니다. 얼마의 시간이 지나 아픔의 기억들이 조금씩 가라앉자, '안드레가 한 일도 어쩌면 하나님의 뜻이 아니었을까?' 라는 생각이 들기 시작했습니다. 간단히 지워버릴 수도 또 지우고 싶지도 않았지만, 그 모든 것이 하나님의 계획이었다는 생각을 떨쳐 버릴 수가 없었습니다."

"그분 때문에 간음한 여자라는 말을 들으며 겪은 고통이 있었는데, 그 고난의 과정이 하나님의 계획이었다고요?"

누가가 눈이 휘둥그레지며 나에게 다시 물었다.

"저는 알 수 없지요, 하나님께서 왜 그렇게 하셨는지. 어쨌든 그를 다시 만나 용서했고 지금은 함께 이곳의 교회를 잘 섬기고 있습니다."

침묵이 흘렀다. 서기관들이 가르치는 내용도 사람들의 생각도 고통을 겪는 이유는 하나님께 죄를 지어 벌을 받기 때문이다. 물론 누가는 내가 죄를 지어 고난을 겪었다고 생각하지는 않을 것이다. 그러나 안드레 때문에 겪은 일이 하나님의 뜻일지 모른다는 말은 이해하기 어려울 것이다.

"혹시 그분에게 왜 과거에 어머니와 예수님을 그렇게 괴롭혔는지 물어보셨나요?"

"자신은 회당장의 아들이었고 나중에 회당장이 되고 싶었답니다. 율법을 배우고 또 앞으로 가르칠 사람으로서 율법을 잘 지키고 보호해야 한다고 생각했답니다. 율법의 가르침에서 벗어나는 것은 한 치의 양보나 타협도 있어서는 안 된다고 생각했답니다. 자신은 그때 내가 간음죄를 지었다고 생각해서 그렇게 행동했다고 합니다."

"그분은 율법을 잘 지킨다고 노력했지만 결국 하나님의 뜻을 거부하고 반대하며 살아온 삶이었네요!"

"자신의 믿음과 신념대로 행동했지만 결국 틀린 것이었지요."

"혹시…… 처음 가브리엘 천사가 방문했을 때 거부하며 싫다고 하셨다면 예수님이 태어나셨을까요?"

누가가 양피지에 쓰는 것을 마치더니 이런 엉뚱한 질문을 했다. 누가의 질문에 가라앉아 있던 상념의 날이 날카롭게 일어섰다.

"저도 그런 생각을 해본 적이 있었습니다. 만약 그때 가브리엘 천사에게 싫다고 했다면 내 인생은 어떻게 바뀌었을까? 당연히 하나님께서는 제가 받아들일 것을 아셨겠지요. 그러나 만약 제가 싫다고 했다면 하나님께서는 분명 다른 처녀를 통해 예수님이 태어나도록 하셨을 겁니다. 사람들은 제가 거룩했거나 완벽한 사람이었기 때문에 하나님의 선택을 받았다고 생각하는데, 전혀 그렇지 않습니다. 저는 시골 마을의 열네 살 평범한 소녀였을 뿐이었습니다. 그러나 이유는 알 수 없지만 하나님께서는 저를 선택하셨고 저를 통해 예수님을 낳기 원하셨지요."

누가가 입을 다물지 못했다. 누가도 다른 사람들과 마찬가지로 내가 특별했기 때문에 예수님을 낳았다고 생각했을 것이다. 어쩌면 그것을 알아내기 위해 나를 찾아왔을지도 모른다.

"너무 겸손하게 말씀하시는 것 아닌가요?"

"아니요, 저는 정말 특별한 것이 없는 시골 처녀였습니다. 그런데 사실 제가 진짜 궁금하고 알 수 없는 것은 따로 있습니다."

나이 육십이 넘은 지금 이 순간까지 답을 얻기 원했던 질문, 그러나 아직도 풀리지 않아 수수께끼로 남아 있는 질문이 있다.

"하나님께서는 왜 왕이나 대제사장의 가문 아니면 적어도 유력한 집안의 처녀를 통해 예수님이 태어나도록 하지 않으셨을까요? 만약 그러셨다면 성령을 통해 임신했다는 사실도 사람들이 믿기 쉬웠을 것이고, 예수님의 삶도 가난한 집의 목수로 힘들게 살지 않으셨을 겁니다. 왜 나 같은 시골 가난한 집의 처녀를 통해 태어나도록 하셨을까요?"

나의 말은 핵심을 찌르지 못하고 주변을 맴돌았다.

"최악의 선택이었습니다."

"최악의 선택이라니요?"

"저를 통해 예수님이 태어나도록 하신 것은 최악의 선택입니다. 적어도 인간이 보기에는 최악이지요. 하나님은 전지전능하신 분입니다. 어느 가문의 어느 처녀를 통해 낳게 하실지 하나님 마음대로 정하실 수 있습니다. 그런데 왜 나 같은……"

"생각해 보니 그렇네요. 만약 대제사장 가문의 처녀를 통해 태어나셨다면 오실 메시아로서 더 자연스러웠겠네요."

"인간은 알 수 없지만, 어쩌면…… 아니 당연히 하나님 기준으로 그리고 하나님이 보시기에 인간에게도 최고의 선택이었을 겁니다. 전지전능하시고 사랑이신 하나님께서 당신에게 그리고 인간에게 최고가 아닌 것을 선택하신다는 것은 논리적으로 말이 안 되잖아요."

"고통스러운 일들이 많으셨는데 어떻게 어머니에게도 최고의 선택이라고 생각할 수 있나요?"

"고통 가운데 있는 사람은 그것이 하나님께서 나에게 주시는 축복이고 최고라는 것을 믿기 어려울 겁니다. 하나님의 원대한 계획을 알 수도 이해할 수도 없을 겁니다. 문제는 하나님을 신뢰하며 고통을 참고 기다릴 수 있느냐이겠지요."

누가는 혼란스러운 얼굴이었다. 이해할 수 없다는 표정으로 나를 쳐다보더니 이윽고 탁자 위만 뚫어지게 쳐다보며 생각에 잠겼다. 잠시 후 내가 헛기침을 하자 그가 나를 쳐다봤고 말을 계속했다.

"예수님이 죽으신 방법도 마찬가지입니다. 인간을 기준으로는 최악의 선택입니다. 인간이 생각할 수 있는 가장 고통스럽고 치욕적인 방법으로 죽으셨으니까요."

"얼마나 고통스러우면 로마 시민에게는 아무리 흉악한 범죄자라도 십자가형이 주어지지 않으니까요."

누가가 웃으며 말했다.

"십자가형은 중죄인에게만 주어지는 형벌이기 때문에 예수님이 큰 죄를 지어서 십자가형을 받았다고 사람들이 생각할 수 있습니다. 또 나무에 달린 사람은 하나님의 저주를 받은 사람이라고 배웠기 때문에 율법을 기준으로도 십자가형은 가장 치욕적인 죽음입니다."

"사실 유대인 중에는 예수님을 믿지 못하는 사람들이 아직도 많이 있습니다. 나무에 달려 죽은 사람은 하나님의 저주를 받은 사람이기 때문에 절대로 하나님의 아들이나 메시아일 수 없다고."

"전능하신 하나님께서는 예수님이 죽는 방법도 마음대로 정하실 수 있습니다. 덜 고통스럽고 덜 치욕적인 다른 방법을 선택하실 수도 있었을 텐데 왜 하필 십자가형을…"

"다른 방법이라면?"

누가가 나의 말을 끊으며 물었다.

"예를 들면…… 로마 군인이나 반대 세력에게 암살당한다든가 …… 고통도 적고 중죄인이나 하나님에게 저주받은 사람이라는 느낌이 전혀 없지요. 반대로 순교자가 됐을 겁니다. 그랬으면 예수님을 믿고 따르는 사람이 아마 더 많았을 겁니다. 적어도 유대인이 믿기는 쉬웠을 겁니다. 이스라엘을 해방하려고 왔던 메시아가 순교했다고."

"그럼 십자가에서 죽으신 것도 마찬가지로 최고의 선택이었다고 생각할 수 있을까요?"

"물론 하나님만 아시겠지만 당연히 최고의 선택이었을 겁니다."

누가는 잠시 생각하더니 양피지에 써내려가기 시작했다. 양피지에 펜 긁히는 소리만이 정적을 깨고 있었다. 누가는 쓰기를 마치자 양피지를 정리하기 시작했다.

"좋은 말씀 감사합니다. 자료 조사에 도움이 많이 됐습니다."

누가는 가방을 챙기기 시작했다.

그는 작별 인사를 하고 떠났다. 문 앞에서 그가 흙먼지 날리는 길에서 사라질 때까지 바라보았다. 하늘을 올려다봤다. 구름 한 점 없는 맑은 날이다.

마지막

AD 43, 갈릴리 나사렛

"마리아야, 내가 누군지 기억하느냐?"

어찌 기억하지 않을 수 있겠는가? 그를 만난 것이 내 인생에서 가장 중요한 순간이었고 또 그 때문에 내 삶의 방향이 완전히 바뀌었는데! 가브리엘 천사장이 다시 내게 나타났다. 그를 처음 만난 후 다시 만나기를 간절히 소망했지만 그는 언제나 요셉에게만 나타났었다. 그런데 죽을 때가 다 되어가는 지금 다시 내 앞에 나타났다.

"제가 몸이 아프고 기력이 없어서 일어날 수가 없습니다. 죄송합니다"

일어나려고 노력했지만 몸이 따라 주지 않아 누운 채로 천사에게 말했다.

"괜찮다. 그냥 누워 있어도 된다."

그에게서는 여전히 아름다운 광채가 빛나고 있었다.

"나를 만난 이후에 어려운 일이 많았지?"

살아온 날들이 주마등처럼 지나갔다. 고통스러운 일도 있었고 절망 가운데 좌절했던 때도 있었다. 간음한 여자라는 말을 들을지 모른다는 걱정을 하며 살아야 했던 인생이었다.

"물론 힘들었던 적도 있었지만 그래도 저는 하나님께 축복받은 여자입니다."

내 인생은 축복받은 삶이다. 하나님의 아들을 낳았고 그래서 사람들은 나를 예수님을 낳은 어머니라고 존경하며 잘 대해주었다. 하나님의 아들을 낳은 여자라는 것 이상의 축복이 이 세상에 또 있을까? 그리고 둘째 야고보는 예루살렘 교회의 지도자가 되었다. 고통 가운데 하나님을 원망했던 적도 있었지만, 돌이켜 보면 그것은 긴 인생의 여정 중에 아주 짧은 시간일 뿐이었다.

"너는 하나님의 아들을 낳는 일을 잘 수행했다. 하나님도 예수님도 너에게 고마워하신다. 그리고 천국에서 너를 만날 날을 기다리고 계신다."

너무 감격스러워 눈을 감았다. 하나님과 예수님께서 나를 기다리고 계신다니!

"그리고 복음이 전해지는 곳에 네가 행한 일들도 전해질 것이고, 사람들은 영원히 네 이름을 기억할 것이다. 하나님의 아들을 낳고 기른 어머니로서!"

이 말을 하고 가브리엘 천사는 떠나갔다. 방이 다시 어두워졌다. 나의 이름이 사람들에게 영원히 기억될 것이라니! 뜨거운 눈물이 솟았다. 평범한 시골 처녀였던 나를 하나님께서 선택하시고 은혜를 주셨다. 그런데 내가 이런 과분한 상급을 받아도 되나!

축복받은 삶을 살았던 여자 마리아는 이제 하나님께 가도 좋을 것 같다. 눈을 감았다.

작가의 말

고통의 문제는 어려운 주제이다. 믿음이 좋던 사람도 고통의 상황에서 '왜 하나님께서 나에게?'라고 부르짖으며 믿음에서 멀어지는 경우가 있다. 반대로 고통 가운데 하나님을 만나고 믿음이 깊어지는 사람도 있다.

사람들이 꿈꾸는 아름다운 세상은 착한 사람은 축복받고 악한 사람은 벌받는 세상이다. 그러나 착한 사람이 고통 가운데 있고 악한 사람이 잘 먹고 잘사는 것을 어렵지 않게 볼 수 있다. 전지전능하시며 거룩하신 하나님이 계신다면 이것을 어떻게 받아들여야 하나?

성탄절에 가장 많이 부르는 노래 중 하나는 '고요한 밤'이다. 성화들도 목동과 동방박사들의 경배를 받고 있는 고요한 모습의 아기 예수와 마리아를 그리고 있다. 그러나 그날 밤 마리아에게는 절대 '고요한 밤'이 아니었을 것이다. 그 후의 삶도 간음한 여자라는 누명이 주홍글씨처럼 따라다니는 삶이었을 것이다.

고통이라는 측면에서 마리아의 삶에 관심을 갖게 되었다. 예수님께서 이 땅에서 사역하셨던 시기의 간음죄에 대한 사람들의 인식, 그리고 성경에 나오는 단편적인 마리아의 이야기를 봤을 때 마리아의 삶은 절대로 평탄하지 않았을 것이다. 하나님께 선택받고 그분의 아들을 낳은 어머니로서는 상상도 할 수 없는 고통을 겪었을 것이다.

하나님의 아들을 낳도록 하시고 왜 하나님께서는 그녀의 삶을 축복하지 않으셨을까? 역사상 그 어떤 사람보다 중요한 일을 한 그녀는 왜 고통 가운데 살아야 했을까? 이 소설은 이런 질문과 고통의 문제에 대한 기독교적 고민의 결과이다.

마리아가 생을 마감하면서 축복받은 삶이었다고 고백할 수 있는 것처럼, 하나님을 진정으로 믿는 사람이라면 인생의 마지막에 마찬가지의 고백을 할 수 있을 것이다. '하나님께서 나에게 최고의 것을 주신 축복받은 삶이었다.' 라고!

일기 한번 써보지 않았던 사람이 소설을 쓰겠다고 시작했을 때 모든 과정이 좌충우돌의 연속이었습니다. 고통을 설명하겠다고 시작한 일이 저에게 오히려 고통으로 다가왔습니다. 이 소설을 쓰는 동안 저는 날마다 마리아의 삶을 살아야 했습니다. 그녀와 함께 울고 웃었던 축복 된 나날이었습니다.

큰 그림의 이야기는 머릿속에 있었지만, 그것을 어떻게 소설로 풀어낼 것인가는 다른 차원의 도전이었습니다. 능력 안되는 사람의 불안한 마음에 많은 분에게 중간 버전을 읽어보도록 부탁했고, 그분들이 주셨던 조언과 격려가 힘이 되어 소설을 완성할 수 있었습니다. 너무 많은 분에게 신세를 져서 일일이 여기에 언급 못하는 것을 용서해 주시기 바랍니다. 특히 전에 출판사에서 일하셨던 분의 조언 덕분에 이 글이 이야기에서 소설이 될 수 있었다는 말로 감사를 전하고 싶습니다.